1

2

GIOTTO

KLASSIKER DER KUNST

IN GESAMTAUSGABEN

NEUNUNDZWANZIGSTER BAND

*

GIOTTO

DES MEISTERS GEMÄLDE

IN 293 ABBILDUNGEN

HERAUSGEGEBEN VON CURT H. WEIGELT

DEUTSCHE VERLAGS-ANSTALT STUTTGART

BERLIN UND LEIPZIG

COPYRIGHT 1925 BY DEUTSCHE VERLAGS-ANSTALT, STUTTGART
DRUCK DER DEUTSCHEN VERLAGS-ANSTALT IN STUTTGART
PRINTED IN GERMANY

Bildnis Giottos an seinem Denkmal in Sta. Croce zu Florenz,
1490 von Lorenzo il Magnifico dem Benedetto da Majano
in Auftrag gegeben

Bei der Zusammenstellung dieses Bandes hat den Herausgeber die Absicht geleitet, alles das in möglichster Vollständigkeit vorzulegen, was strenge wissenschaftliche Kritik heute für Giotto selbst in Anspruch nimmt. Doch hielt er sich nicht für berechtigt, diesen Standpunkt allein zur Geltung kommen zu lassen, weil über die Lösung mancher Fragen Übereinstimmung noch nicht erzielt worden ist. So bringt der Anhang auch das Wichtigste von dem, was lange Zeit vielen als Giotto galt und von manchen heute noch als Werk seiner Hand angesehen wird. Schule und Schüler Giottos um ihrer selbst willen vorzuführen, lag natürlich außerhalb der Absichten dieses Buches.

Florenz, Kunsthistorisches Institut, Januar 1925

Weigelt

GIOTTO

SEIN LEBEN UND SEINE KUNST

Der Palazzo Scrovegni mit der Arenakapelle zu Beginn des 19. Jahrhunderts

CHIESA di S. Maria Annunziata, nach dem Willen ihres Stifters Enrico Scrovegni jedoch auch S. Maria della Carità, heißt das kleine, einschiffige, von einer Tonne überwölbte Kirchlein in Padua, das, auf dem Gelände einer römischen Arena errichtet (daher auch Chiesa dell'Arena), Giottos großes Jugendwerk birgt. Es sind jene Fresken mit Darstellungen aus der Jugendgeschichte der Maria, dem Leben, Sterben und der Auferstehung des Heilandes, von denen Benvenuto da Imola in seinem Dante-Kommentar sagte, Giotto sei, als er sie malte, „adhuc satis iuvenis" gewesen. Auch ohne diese Äußerung Benvenutos würde man die Wandgemälde ein Jugendwerk nennen, denn sie tragen die Kennzeichen eines noch werdenden Meisters an sich. Doch scheint die älteste Quelle, die wir über Giottos Geburtsjahr haben, jene Stelle in der Centiloquio genannten Reimchronik des Florentiners Antonio Pucci, dem Worte Benvenutos zu widersprechen. Denn nach Pucci, der 1334 in Diensten der Stadt Florenz stand, wäre Giotto 1336 (nach Florentiner Zeitrechnung) siebzig Jahre alt gestorben, also 1266 geboren. Dann würde er, da man die Fresken in die Jahre 1303 bis 1306 datieren kann, als ein angehender Vierziger in der Arena gemalt haben. Vasari dagegen nennt als Geburtsjahr 1276, der Künstler wäre dann zehn Jahre jünger gewesen, ein Alter, das sowohl zu der Angabe Benvenutos, wie zu der ganzen wagemutigen Frische passen würde, von der man vor den Gemälden der Arena so beglückend angeweht wird. Möglich, wie man hat annehmen wollen, daß in dem Text des Pucci ein Schreibfehler das sessanta anni in settanta anni umgefälscht hat. Die Ungewißheit aber bleibt, in welchem

Jahre Giotto di Bondone in Colle di Vespignano im Mugello-Tale bei Florenz das Licht zum ersten Male erblickte.

Nicht gut steht es um unsere Kenntnis der Jugend Giottos. Die anmutige Legende läßt ihn die Schafe seines Vaters weiden und auf einem Stein seine ersten Zeichenversuche machen. Da kommt der berühmteste Florentiner Maler, Cimabue, zufällig des Weges, erkennt die Begabung des Kleinen und nimmt ihn mit in die Stadt, den großen Giotto aus ihm zu bilden. Daß er Schüler des Cimabue gewesen, da er doch wohl in Florenz aufwuchs und in die Lehre ging, dem Brauch der Zeit entsprechend, noch Knabe als Farbenreiber und garzone beginnend, liegt nahe anzunehmen. Verbürgt ist es nicht und nicht einmal wahrscheinlich. Denn es will nicht gelingen von Cimabue, dessen künstlerisches Gesicht überdies trotz der großartigen Madonna aus Sta. Trinità unbestimmt bleibt, zu dem Giotto der Arena oder dem der Madonna aus Ognissanti kunstgeschichtlich die Brücke zu schlagen. Was in beiden verwandt erscheint, ist nicht die Abhängigkeit des Jüngeren vom Älteren in irgendeinem besonderen Sinne. In beiden liegt der Zug zur Großheit und Klarheit, gelenkt von hellem und scharfem Verstande, in beiden ein Erbteil der gemeinsamen Mutter Florenz.

Man hat früher geglaubt, Zeugnisse der Kunst des jungen Giotto an Freskenreihen zu haben, die sich in San Francesco zu Assisi befinden. Um die urkundliche Begründung ihres Zusammenhanges mit Giotto ist es sehr schlecht bestellt, und die moderne stilkritische Forschung mit ihrer vertieften Erkenntnis und verfeinerten Methode kann diese Wandgemälde für den Künstler selbst nicht mehr in Anspruch nehmen. Mag allgemeine Übereinstimmung in dieser schwierigen Frage auch noch nicht erzielt sein, so darf man doch von diesen Fresken nicht ausgehen, wenn man sich einen Begriff vom Wesen der Kunst Giottos bilden will. Setzt man die Gemälde in Assisi zunächst beiseite, so bleiben noch zwei Arbeiten, die mit Giotto in Verbindung gebracht werden und vor den Paduaner Fresken entstanden sein können. Aber es ist nur Pietät, wenn man von ihnen spricht. An dem vollkommen übermalten Freskenfragment in San Giovanni in Laterano „Bonifazius VIII. verkündet das heilige Jahr 1300" (Abb. S. 141) haftet der Name Giotto durch eine Tradition, die selbst der literarischen Sicherung ganz entbehrt. Was noch vorhanden ist, macht eine Beziehung zu Giotto unbeweisbar und unwahrscheinlich. Das vielleicht nur wenige Zeit später entstandene Mosaik der Vorhalle von St. Peter in Rom, die „Navicella" (Abb. S. 1), hat eine sehr traurige Geschichte gehabt, und es ist heute an ihr so gut wie nichts mehr ursprünglich. Schon alte Schriftsteller erwähnen sie als ein Meisterwerk Giottos, und daß sie stets in Ehren gestanden hat, beweisen die zahlreichen Kopien aus späterer Zeit. Das Deckenfresko der Spanischen Kapelle in Florenz (S. XIII), die früheste Nachbildung, die aber auch eine starke moderne Wiederherstellung durchgemacht hat, kann dazu dienen, eine Vorstellung von dem einstigen trecentistischen Aussehen der Navicella Giottos zu vermitteln. Wichtig ist, daß auch für Giotto (wie für Cimabue) das Arbeiten in Mosaik nichts Fremdes war. Erst die Fresken der Arena bieten der Betrachtung zuverlässige Urkunden. Es ist eine Forderung der Logik, die Erkenntnis der Kunst Giottos in den gesicherten Werken zu suchen, und dabei auch deren Zustand zu berücksichtigen. Die umfangreichste erhaltene Arbeit Giottos, die verhältnismäßig wenig durch die Zeit und durch Wiederherstellung gelitten hat, ist die Freskenreihe in Padua, während die Gemälde in Sta. Croce, soviel sie auch über Giotto auszusagen vermögen, doch nur noch schmerzlich schöne Schatten sind. In der Arena also muß man die Maßstäbe gewinnen, mit denen das Werk Giottos in sich und gegen seine Umgebung abgegrenzt werden kann. Deshalb nimmt die Betrachtung der Paduaner Wandgemälde in diesen Blättern den breitesten Raum ein.

Die Navicella (Andrea da Firenze)

Zehn, vielleicht zwanzig Jahre rüstiger, künstlerischer Arbeit Giottos, gerade die entscheidungsreichen Gesellenstücke des Außerordentlichen sind uns also ganz und gar verloren. So wirkt das Paduaner Jugendwerk, gemessen an dem, was die Vorgänger und die Mitlebenden malten, wie ein Wunder. Es scheint fast, als schaffe ein Voraussetzungsloser hier mit unerhört gesammelter Kraft einen neuen Kosmos, eine neue Anschauung von der Welt, zu der kein Weg aus der Vergangenheit führe. Erst der kritisch ruhige Blick gewahrt die starken Wurzeln, mit denen der Giotto der Arena dem malerischen Weltbild des italienischen dreizehnten Jahrhunderts verhaftet ist.

Die heute gern „Chiesa di Giotto" genannte Privatkapelle des Enrico Scrovegni ist diesem Manne Zeit seines Lebens besonders teuer gewesen. Er hatte gewaltige Reichtümer von seinem Vater Reginaldo geerbt, die dieser durch Wucher zusammengebracht haben soll, wofür ihn Dante in der siebenten Bulge des Inferno büßen läßt. (Inf. XVII, 64—75.) Wenn man sich erinnert, daß Enrico die Kapelle der Barmherzigkeit weihte, so mag der alte Paduaner Geschichtschreiber Scardeonius wohl recht haben, wenn er angibt, Enrico habe sie errichtet, um die Laster seines wucherischen Vaters zu sühnen. So würde es auch besonders verständlich, daß in den Urkunden Enricos, die wir über die Kapelle haben — leider ist keine darunter, die den Auftrag an Giotto enthielte —, ein Ton fast eifersüchtiger Liebe mitschwingt. Noch in seinem Testament erklärte er, ein Verbannter in der Fremde (in Venedig, wo er 12. März 1336 seinen letzten Willen diktierte), mit beinahe heftigem Nachdruck, da er die Kapelle zu seiner letzten Ruhestätte bestimmt, „quam ecclesiam et quod monumentum ego per dei gratiam feci de bonis propriis construi". Eine Bekräftigung dessen, was er schon 1317 gesagt hatte, als er für die ständige Unterhaltung des Gottesdienstes in seiner Hauskapelle eine reiche Stiftung machte. Er habe das Kirchlein „vom ersten Steine an bauen und aufrichten lassen". Es entstand im Zusammenhang mit dem Umbau des älteren Palastes, den Enrico 1300 zugleich mit dem ganzen Gelände der Arena für sich und sein Haus durch Kauf erwarb. Man wird sich diesen Palast als ein wehrhaftes Haus mit Zinnenkranz und Turm vorzustellen haben. Kurz bevor er in den 1820er Jahren der Spitzhacke zum Opfer fiel, muß ein Aquarell entstanden sein, das im Museo Civico in Padua bewahrt wird, und nach dem hier ein gleichzeitiger Stich wiedergegeben wird (S. XI). Man sieht den Palast nur in der späteren Gestalt, die er erhalten hatte, als er an die venezianische Familie Foscari übergegangen war. Der Kapelle selbst entsprach an der anderen Schmalseite des Palastes ein ähnlicher Bau, so daß die ganze Anlage, dem Oval der Arena folgend, eine einheitliche architektonische Form besaß. Von alledem steht heute nur noch die Kapelle selbst.

Wir sind, um die Zeit zu bestimmen, da Giotto dort malte, ganz auf die Baudaten des Kirchleins angewiesen, das übrigens auch an der Stelle einer älteren Kultstätte errichtet wurde. Nach einer überlieferten Inschrift, die sich über dem Grabmal des Enrico befand, deren Deutung jedoch nicht zweifelsfrei ist, fand die Grundsteinlegung (cum locus iste deo solemni more dicatur) 1303 am Tage der Verkündigung Mariae statt. Am 16. März 1305 beschließt der Große Rat der Stadt Venedig, dem dort wohlangesehenen Enrico zur Feier der Weihe seiner Kapelle in Padua (Cum ser Henricus Scrovegno intendat facere consacrari quandam suam capellam Paduae) Teppiche aus dem Besitz der Kirche San Marco zu leihen; die Feier der Weihe hat demnach am 25. März 1305 stattgefunden, am Tage der Verkündigung, welchem Feste auch schon der ältere Bau geweiht war. Nach einer anderen Nachricht wurde zum Verkündigungstage des Jahres 1306 das Fest als „S. Marie de Arena" neu gestiftet. Man wird sicherlich annehmen dürfen, daß damals die Kapelle als Bauwerk und in ihrem wichtigsten inneren Schmuck vollendet war. Vielleicht haben die Teppiche, die Enrico entlieh, dazu gedient, dem höchstens erst im bloßen Bewurf stehenden Chor — die schlecht erhaltenen, dort von schwächlichen Schülern Giottos gemalten Wandbilder sind unzweifelhaft später entstanden als die Fresken des Meisters — seine Kahlheit zu nehmen. Oder sollten im Langschiff etwa die noch unfertigen Sockelmalereien durch die Teppiche verdeckt werden? Es sind ferner keine stichhaltigen Gründe, die man für eine längere Unterbrechung der

Die Arenakapelle in Padua

Arbeit Giottos vorgebracht hat. Die Fresken der Arena haben nach Erfindung und Ausführung einheitlichen Stil. So ergibt sich als Schluß, daß die gesamte Dekoration des Hauptschiffes zwischen 1303 und 1306 entstanden sei; sie war gewiß auch bei der feierlichen Weihe von 1305 schon zum allergrößten Teile ausgeführt.

Giotto hat das ganze Schiff in allen seinen Wänden mit Gemälden geschmückt (Abb. S. 4, 5). Rein als bemalte Fläche betrachtet ist dies eine umfangreiche Leistung, die den Gedanken nahelegte, Giotto könne irgendwie auch beim Bau der Kapelle herangezogen worden, ja ihr Architekt gewesen sein. Das Schiff selbst ist ganz ohne plastisch-architektonische Gliederung, nur an der Triumphbogenwand sind vier skulpierte Blätterkapitelle als Endigungen gemalter Pilaster eingemauert. Eben dies möchte vielleicht für eine Beteiligung des Malers an der architektonischen Ausgestaltung dieser Wand sprechen, denn der Baumeister würde hier wohl gemauerte Pilaster verwendet haben. Die Tatsache scheint ferner zu bestätigen, daß Giotto bereits im Schiff malte, als Triumphbogenwand und Chor noch im Bau waren. Auch die stärkere Verwendung gotischer Formen an der Tribuna zeugt für eine spätere Vollendung der Chorpartie. Die glatte Schlichtheit der Wand und der Decke des Schiffes beweisen, daß es von vornherein für eine vollständige Bemalung bestimmt war. Hätte Giotto auch hier schon Einfluß auf den Bau gehabt, so würde das Schiff seinen dekorativen Plänen angepaßt worden sein, und er hätte nicht nötig gehabt, diese dem Bau anzugleichen. Denn an der Fensterwand findet sich der Maler nicht leicht mit der wenig glücklichen Art ab, wie die sechs Fenster in die Mauer eingeschnitten sind. Er muß die dekorativen Zwischenstücke der ersten Bilderreihe (Nr. 1—6) jenen der obersten Reihe der linken Wand (Nr. 7—12) entsprechen lassen, und kann darum nicht verhindern, daß diese Zwischenstücke in eine ganz ungleichmäßige Beziehung zur dritten Bilderreihe (Nr. 15—19) geraten. Er hat zwar durch ein über den Fensterbogen durchlaufendes, schmales, profiliertes Gesims die oberste Reihe selbständig zu machen gesucht, um sie dekorativ von der unteren Reihe loszulösen, aber dieser geistreiche Notbehelf kann doch nicht ganz den verschobenen dekorativen Eindruck beseitigen, der die Fensterwand in ihrer Gesamtwirkung schädigt. Übrigens fehlt in den überlieferten Nachrichten erst recht jeder Anhalt, der in Giotto den Baumeister der Kapelle vermuten ließe.

Die ganze Dekoration der Anlage des Schiffes ist im Sinne des Malers gehalten, in dessen Absichten es nicht lag, dem Raum als solchem die Herrschaft aufzuzwingen, ihn durch die Gemälde als selbständigen Raumkörper fühlbar zu machen. Darum sind die architektonischen Glieder, die doch einen schönen, aber zarten Halt geben, karg. Auch über der obersten Bildreihe ist beiderseits ein durchlaufendes, schmales, profiliertes Gesims gemalt, auf dem die Deckenwölbung für das Auge ruhen kann. Das Gesims über den Fensterbogen hat entsprechend auf der linken Wand seine Geschwister und trifft doch ungefähr in den Ecken der Querwände auf die tragende Zone jener gemalten Pilaster mit ihren skulpierten Kapitellen. Das Zahnschnittgesims, das rings unter den Bildern entlang geht, trägt wiederum die Basen jener Pilaster. Das Ganze bekommt sein festes Fundament in dem gemalten Marmorsockel, mit dem sich dies leichte architektonische Gerüst auf allen Wänden des Schiffes der festgegründeten Erde verbindet. Von den Pilasterkapitellen aber steigen zur Höhe, der Rundung der Deckenwölbung, der Rundung des Triumphbogens folgend, Ornamentbänder, die teils mit zierlichem Pflanzenwerk, teils mit gemaltem Steinmosaik nach Art der Kosmaten gefüllt sind.

Mit diesem architektonischen Stützwerk verschränkt sich das dekorative Rahmenwerk. Die linke, fensterlose Wand ist bestimmend. Die drei übereinanderliegenden Reihen von je sechs Bildern zu gliedern, bedurfte es der sieben trennenden und zusammenhaltenden Gurten. Von ihnen sind nur die erste und letzte, wenn auch im Bereich der Bilder durch die Gesimse zerteilt, in einheitlicher Dekoration emporgeführt. Giotto hat sie in der Höhe der Gemälde mit lockerer gesetzten Medaillons in Vierpässen gefüllt, die Brustbilder von Heiligen enthalten. In der freien Wölbung sind die Medaillons einander näher gerückt und die freibleibenden Flächen der Gurten beleben sich mit graziösen Blätterranken. Sie umfassen leicht kleinere Halbfiguren von Heiligen im Rund. Diese Eckgurten sind etwas breiter als die anderen, da ihnen in der dekorativen Ökonomie des Ganzen eine bedeutendere Rolle zufällt. Ähnlich behandelt ist die mittlere, die vierte Gurte. Sie ruht beiderseits auf dem zweiten Gesims und schwingt sich, nachdem sie das oberste Gesims gekreuzt, über die Bläue der Deckenwölbung, diese in zwei gleich große Felder teilend. Die übrigen vier Gurten bleiben ganz im Bereich der Gemälde. Innerhalb der unteren beiden Bilderstreifen der linken Wand — auf der anderen ließen die Fenster für sie keinen Raum — sind sie, wie auch die vierte Gurte, als dekorative Zwischenstücke behandelt und tragen jedes in seiner Mitte in einem Vierpaß eine kleinfigurige Szene aus der Schrift oder der Legende. Diese reizvollen, wenig beachteten Bildchen (Abb. S. 96, 97) stehen in typologischer Beziehung zu dem Inhalt der anstoßenden großen Gemälde. In der unteren Reihe sind diese Zwischenstücke geschlossener in ihrer ornamentalen Form, in der mittleren Reihe lockerer und leichter. In der oberen Reihe tragen sie ein Heiligenbrustbild im Vierpaß, der, in lichtes Bandwerk oben und unten ausgehend, sich so fast schwebend in die Fläche zerlöst. Anderseits haben alle Gurten im Bereich des gemalten Marmorsockels ihre schwerste Form. Hier zeigen die entsprechenden Felder an beiden Wänden, grau in grau gemalt, gleich Steinreliefs vor gemaltem Grund von Rosso — seltener Verde Antico, die Figuren der Tugenden (rechts), und die der Laster (links) (Abb. S. 84ff).

Die Gemälde der unteren und mittleren Reihen werden jedes für sich noch von einem kräftigen Rahmen gefaßt, der in gemalter Kosmatenarbeit ausgeführt ist. Gegen die Bildfläche setzt sich der Rahmen zunächst mit einem ungemusterten bräunlichroten Streifen ab, dann mit einem in Hell ornamentierten dunkelgrünen. Man wird auch hier an eingelegte Steinarbeit erinnert. In den beiden obersten Reihen ist die Rahmung der Gemälde leichter, statt der schweren Kosmatenarbeit ein zierliches, doppeltes Leistenwerk, dessen Zwischenraum auf goldbraunem Grunde kurze grüne Girlandenfestons trägt, deren Endigungen in gelben oder goldenen Fassungen sich bergen. Die Absetzung gegen die Bildfläche geschieht zunächst mit einem ringsum laufenden Eierstab, dann mit einer schmalen profilierten Rahmenleiste in Steinfarbe. Diese innere Rahmung ist schmaler als in den beiden unteren Reihen, so daß in der obersten die Bildfläche ein wenig größer ist, eine sicher wohl erwogene Rücksicht darauf, daß diese Bilder die höchsten Stellen der Seitenwände einnehmen.

Man soll nicht glauben, es sei ein pedantisches Spiel, von diesen Dingen so viel zu sprechen. Nichts an diesen einzigen Wänden ist doch Zufall oder Laune, alles auch im kleinen Ergebnis eines sehr bewußt schaffenden Kunstverstandes. Wie schön und klar steigt es in den Zwischenfeldern empor, von der gehaltenen Ruhe des Tragens unten, über die reichere aber lockere Formung der Mitte, zu der lichteren und leichteren Art der Einfassungsmotive oben. Folgt man dem Gange der Bilder selbst, die sich ja eines neben das andere setzen, wie frisch sind diese Spannungen, die sich aus den Gegensätzen des Aufsteigens, des in die Breite Schreitens, des Absteigens ergeben. Und über dem Ganzen schwebend, ganz losgelöst, im freien Blau am Scheitel der Wölbung, im Deckenfelde nach dem Triumphbogen das Rund mit der Halbfigur Christi, im anderen, nach dem Jüngsten Gericht, das Rund mit der Halbfigur der Maria mit dem Kinde, ein jedes von vier Medaillons umgeben, in denen die Halbfiguren von Propheten sichtbar werden.

Die Triumphbogenwand stellt auch für das Fortschreiten der Erzählung die Verbindung zwischen den beiden Seitenwänden her. Die Folge beginnt ja rechts im Streifen über den Fenstern nahe dem Chor, setzt sich in gleicher Höhe links fort und überschreitet so auch die Abschlußwand vor der Tribuna. Hier fand die Verkündigungsszene, im Gedanken an die Patronin der Kapelle, ihren besonders feierlichen Platz. Der kniende Engel nimmt die linke, die kniende Maria die rechte Seite der Fläche neben der Rundung des Triumphbogens ein. Im Felde unter Maria malte Giotto die Heimsuchung und erreicht so die Höhe des mittleren Bilderstreifens. Links geht dieser mit der Szene, wie Judas die dreißig Silberlinge empfängt, wieder auf die Triumphbogenwand über, so daß dieses Gemälde seiner Lage nach der Heimsuchung entspricht. Hier ergibt sich eine leichte Zäsur. Denn den Anschluß an die untere Reihe findet das Auge erst zwischen dem ersten und zweiten Fenster vom Chor aus, im Abendmahl. Dadurch bleiben rechts und links des Triumphbogens in der Höhe des unteren Streifens zwei Felder von figürlichen Darstellungen frei. Beide sind einander entsprechend ausgemalt mit dem Bilde je eines kleinen Raumes, in den man über eine Balustrade hinweg Einsicht gewinnt. Diese kleinen Chöre sind spitzbogig überwölbt und haben in ihrer Rückwand je ein schmales gotisches Fenster. Vom Schlußstein der Wölbung hängt je eine Lampe herab. Ungenaue Beobachtung hat in den Malereien der beiden Felder einen verborgenen Sinn suchen wollen, doch lohnt es nicht der Mühe, davon zu sprechen. Zwei Flächen sollten möglichst schlicht gefüllt werden. Wie fein empfunden ist es, daß hier nicht dekorative Zwischenstücke, ähnlich denen der linken Seitenwand, ihren Platz fanden. Die Unterbrechung der Bilderfolge sollte begründet, die innere Einheit der Szenen dieser Wand und ihre Ausnahmestellung gewahrt werden. So ging der Maler aus dem Vergleichbaren heraus in einen milden Illusionismus, der diese beiden Glieder

der Kette aus dem Zusammenhang einer gemalten geistigen Welt in das ruhige Licht des gewöhnlichen Tages hineinhebt. Über allem Tage aber, auch über dem Tage des farbenreichen Kosmos einer neu geformten Welt, thront gewaltig, die ganze Eingangswand füllend, das Bild des letzten Gerichtes (Nr. 38), durch Stellung und Größe der Abfolge der Erzählung entrückt.

Nicht hart wird diese Sonderung in den dekorativen Körper der gesamten Ausmalung eingeschnitten. Der Blick, der dem Faden der Geschehnisse nachwandert und, wie zu einer Mahnung, dreimal über das letzte Gericht fortgleiten muß, wird doch geführt, denn der Aufbau des Bildes nimmt in einer schönen Weise die Dreiteilung der Seitenwände locker wieder auf. So trägt und stützt auch hier eines das andere. Wer vor der Szene der „Ausgießung des heiligen Geistes" den Faden abgesponnen hat, soll die breiteste Zäsur überwinden und muß sich daher ganz zurückwenden, um den erhabenen Schlußgesang des Gedichtes zu lesen. Hier waltet der letzte Richter, dem in geheimnisvoller Entsprechung am Scheitel der Triumphbogenwand Gottvater gegenüber thront (Nr. 39). Sendet er den Engel, der links dem Thron ganz nahe steht, zu Maria, ihr das „Ave gratia plena dominus tecum" zu bringen? So erhielte die entscheidungsvolle Stunde im Leben Mariae eine Begründung, die noch jenseits der leibhaftigen Erscheinung des Engels sichtbarlich in der Sphäre des Überirdischen läge. Der Schlichtheit und Offenheit der Verknüpfungen in dem Epos, das Giotto schreibt, würde dies am meisten gemäß sein, zumal die Kirche der Annunziata geweiht ist. Oder sehen wir uns hier überhaupt dem ersten Vorspiel des ganzen Gedichtes gegenüber, so daß etwa Gottvater seinen Engeln über das Geschick des Joachim und der Anna Befehl täte? Schließlich, wird hier das Höchste dargestellt, das auch noch über dem letzten Gericht unverrückbar, ewig bleibt und verharrt, die Macht Gottes des Herrn, der königlich mit Krone und Zepter in der Glorie der himmlischen Heerscharen thront und die Welt nach seinem unerforschlichen Willen lenkt? Giotto hat dem Bilde eine wahrhaft überirdische Leichtigkeit und Verklärtheit gegeben, so daß der Gedanke gern zu der Möglichkeit einer solchen Deutung zurückkehrt. In ihr würden Beginn und Ende des Epos sich erhaben vereinen, und das Rauschen von „Flügeln der Morgenröte", das man hier zu hören glaubt, gewönne einen ganz großen Sinn.

So hat Giotto den Rahmen gefügt, von dem er architektonisch und dekorativ die Folge der Bilder tragen, teilen und ordnen läßt. Es war nicht möglich darüber zu sprechen, ohne auch schon innere Beziehungen und Spannungen aufzudecken. Beweis genug dafür, wie auch das Äußere dem Sinne des Ganzen sich unterwirft. Ebenso enthüllt der innere, struktive Aufbau des Gedichtes einen gleich meisterlichen Giotto. Der Rahmen bot rechts und links je drei Bilderstreifen, in der Mitte die Triumphbogenwand mit fünf Feldern. Dadurch ergeben sich für die Erzählung sechs Abschnitte, innerhalb deren die Mitte Ruhepunkt und Wende zugleich ist. Was der Maler sich äußerlich gesetzt, wußte er auch innerlich zu begründen, denn die sechs Abschnitte gleichen sechs Gesängen, von denen jeder in sich Abgeschlossenheit besitzt und doch Glied eines größeren Ganzen bleibt. Giotto ist der wahre Epiker, er führt die Handlung ruhig und gemessen, ohne scharfe Zuspitzungen, ohne überraschende Wirkungen zu suchen, gewiß nicht ohne Härten. Im Anfang erzählt er breit, fast behaglich, wie wenn er sich in der wenig bewegten Jugendgeschichte der Maria heiter gefiele. Dann wird der Schritt der Ereignisse rascher, der Ton der Erzählung gewinnt die rechte epische Fülle. Erst in den letzten beiden Gesängen erhält er die sonore Wucht, die von Schmerzen und Qualen dunkel untermalt ist, um mit der Himmelfahrt im Verschweben, mit dem Pfingstfest in ruhiger, unumstößlicher Gewißheit den Ton abklingen zu lassen. Im Bilde des letzten Gerichtes erhebt er sich schwellend von neuem, nicht zum donnernden Brausen und Rauschen, aus dem sich der Tubaton des Weltgerichts verheißend, zürnend herauslöste, vielmehr zu einem tiefen und starken Sausen, gebändigt von dem Willen des Richters.

Im einzelnen ist das große Gedicht straff gegliedert. Der erste Gesang (Nr. 1—6) gibt die Geschichte von Joachim und Anna, er beginnt mit der harten Zurückweisung des Opfers, das der kinderlos Gealterte hoffnungsvoll darbringen möchte und schließt mit der unsagbar zarten Begegnung des gesegneten Paares an der goldenen Pforte. Der zweite (Nr. 7—12) erzählt die Geschichte der Maria von der Geburt bis zu dem Tage, da sie in feierlichem, festlichem Zuge in das Haus des Bräutigams geleitet wird. In der „Verkündigung" (Nr. 13) erst wird Maria die „Ancilla Domini", die Magd des Herrn. Welche Größe gibt es dem Fortschreiten der Handlung, der epischen Verknüpfung und wechselseitigen Beziehung der einzelnen Strophen, daß diese Szene gerade am Triumphbogen ihre Stelle hat. Sie wird nicht nur so und durch ihr doppeltes Ausmaß über die anderen Geschehnisse emporgehoben. Der Ton, der hier erklingt, ist anders. Man hört hier keine „Geschichte". Das unbegreifliche Geheimnis hüllt sich in fast hieratisch strenge Feierlichkeit. Ohnegleichen wie die Szene zwischen dem „Hochzeitszug der Maria" (Nr. 12) und der „Heimsuchung" (Nr. 14) wirkt, zwischen der würdigen und doch heiteren Festlichkeit dort und der mütterlich tiefbewegten Innigkeit hier. Diese Begegnung nimmt den Erzählungston sanft wieder auf, gleichsam als Überleitung zu dem dritten Gesang (Nr. 15—19), wo er von der „Geburt Christi", bis zum „bethlehemitischen Kindermord", also in der Kindheitsgeschichte Jesu, einen heroischen Zug erhält. Der vierte (Nr. 20–25) beginnt mit dem „zwölfjährigen Jesus im Tempel". Was der Kindheitsgeschichte füglich zugehören könnte, wird von Giotto an den Anfang der irdischen Wirksamkeit gesetzt, denn dieser ewiger Weisheit kundige Knabe ist kein Kind mehr. Über die „Taufe", über den Wunder wirkenden Jesus, über seinen „Einzug" geht der Gesang bis zur „Vertreibung der Wechsler aus dem Tempel", dem tätlichen Eingriff in die Rechtsgewalt des Hohenpriesters. Musikalisch gesprochen gleich einer Frage läßt dieser Abschluß im Beschauer die Bangheit zurück, was nun folgen werde.

Der „Verrat des Judas", (Nr. 26) die nächste Strophe, könnte ebenso am Schluß des vierten, wie am Beginn des fünften Gesanges (Nr. 27—31) stehen, obwohl die Szene dem Herkommen gemäß, wie etwa bei Duccio, zwischen Fußwaschung und Gebet in Gethsemane, ihren Platz hat. Wie Giotto sie einordnet, gewinnt sie ihre besondere vermittelnde Bedeutung. Es ist kein Zweifel, daß für die Abweichung vom Üblichen bei dem Maler auch rein künstlerische Gründe maßgebend waren. Die Heimsuchung war bereits vollendet; daß sie das ältere Bild ist, hat man mit Recht auch aus der „geringeren Bestimmtheit und Kraft der plastischen Erscheinung" geschlossen.* Keine der folgenden Szenen hätte sich im Aufbau dekorativ der „Heimsuchung" so gut anähneln lassen, wie der „Pakt des Judas". Die ganze Triumphbogenwand erhält so ein schönes Gleichgewicht. Und diese drei Begegnungen sind auch innerlich einander verbunden. Drei Angelpunkte der Erzählung werden in die Sonderung gerückt. Die „Heimsuchung" wirkt hier zukunftsschwer und bedeutungsvoll, denn das Wunder der Verkündigung ist nun aus der Sphäre des überirdischen Geheimnisses, in den wärmeren Umkreis irdischen Geheimnisses eingegangen. Das wahre Gewicht dieses Bildes liegt sicher nicht darin, daß eine Szene bloßer familiärer Intimität hätte gegeben werden sollen.

Die räumliche Zäsur zwischen dem „Verrat des Judas" und dem „Abendmahl" ist gerade groß genug, um bei Beginn des fünften Gesanges (Nr. 27—31) den schwereren Atem der kommenden Ereignisse deutlicher zu hören. Dem „Abendmahl" reiht sich die „Fußwaschung", die „Gefangennahme in Gethsemane", „Jesus vor Kaiphas", am Schluß

---

* Rintelen, Giotto, Basel 1923, S. 30.

die „Verspottung". Der Gesang umfaßt jene Szenen, die dem eigentlichen Leidensweg mit seinem Ende in Befreiung und Erlösung voraufgehen. Die Tonlage ist in Dur. Man darf es als bezeichnend empfinden, daß der im Laufe der Arbeit gewachsene Künstler die zur Katastrophe drängenden Vorgänge mit der ganzen Schwere bitterlichen Ernstes nebeneinander setzt, und daß die leidvoll weiche Szene des Gebetes in Gethsemane fehlt. Der wahrhaft heldische Sinn verbirgt die Seelenkämpfe. Man erinnere sich, daß auch die Versuchung unter die Themen der Arenakapelle nicht aufgenommen wurde. Die klare, in sich selbst ruhende, starke Männlichkeit Giottos enthüllt sich immer deutlicher, je mehr sich die Bilderfolge dem Ende nähert. Nicht nur das, was Giotto darstellt, auch das, was er nicht darstellt, schenkt tiefe Aufschlüsse über Wesen und Umfang seiner Geistigkeit. Es ist wahrlich lehrreich im Vergleich mit der Führung der Handlung in Duccios Dombild, aus der sich ein so ganz anders geartetes Temperament rein und schön offenbart, die Kraft und die innere Freiheit Giottos zu begreifen.

Im letzten, sechsten Gesang (Nr. 32—37) rollt sich das Ende des tragischen Epos mit der Macht der Naturgewalt vor uns ab: „Kreuztragung", „Kreuzigung", „Grablegung", die Engel am leeren Grabe auf demselben Bilde, mit dem „Noli me tangere", „Himmelfahrt" und „Ausgießung des heiligen Geistes". Also nur eine Erscheinung des Auferstandenen hat Giotto hier gemalt, und die von Schwermut durchtränkte Szene des Ganges nach Emmaus, das „Herr bleibe bei uns, denn es will Abend werden" fehlt. Die Ereignisse des Leidensweges fallen schwer und dröhnend wie Hammerschläge. Aber zart wird der Übergang von der Erscheinung des Herrn zur Himmelfahrt geführt, und wie schön ist die Verbindung von Dur zu Moll, vom Leiden zur Aufnahme in die Arme des Vaters. Und welch sichere Bestätigung spricht in dem Bilde der Ausgießung des heiligen Geistes, in dem das ruhevolle Ende des Gedichtes vom Leben, Leiden und von der Erlösung des Herrn beschlossen ist. So rundet sich ein Heldenepos, und man soll doch auf den Wechsel des Tones hören, der die einzelnen Gesänge so verschieden abstimmt. Er ist gewiß auch in dem Erzählten begründet, denn die rührende Geschichte von Joachim und Anna, die reizende und doch etwas spröde Legende von der Jugend Mariae bedurften einer anderen Tonart als die Folge der Ereignisse im Leben und Leiden des Herrn. Aber es ist kein Zweifel, daß die Melodieführung um so fester und reiner wird, je mehr die Folge vorschreitet, was sich am natürlichsten dadurch erklärt, daß Giotto an seiner Aufgabe reifte.

In diesem Epos des Einen ist die Menschheit der verborgene Mitspieler. Im letzten Gericht tritt auch sie hervor. Wer das Heldengedicht gelesen, kann zwei Wege wählen, er kann ihm nacheifern und er wird den Pfad der Tugend finden, er kann es verachten und wird den breiten Weg des Lasters gehen. Beide Wege hat Giotto gezeigt. Wenn man vom „Pfingstfest" sich zurückwendet und dem großen Gemälde des Gerichts entgegenschreitet, hat man links zur Seite die Figuren der Tugenden (in dem Marmorsockel, der die Welt der Bilder trägt), rechts die Laster. Die Tugenden führen zur Seligkeit, die Laster zur Verdammnis. Darum steht die Spes räumlich unter der Schar der Seligen, die Desperatio unter dem Höllenschlund. Mit diesen Figuren betritt der Künstler das Gebiet der Allegorie, das dem Geiste des Mittelalters so teuer war, ein Gebiet, auf dem Giotto selbst schwerlich mit besonderer Teilnahme sich bewegte. Es ist sehr wahrscheinlich, daß ihm für diese Gestalten wirklich plastische Figuren dieser Art vorgeschwebt haben. Aber daß sie hier als graue, unscheinbare Steinreliefs gegeben werden, dämpft ihre Wirkung im dekorativen Haushalt der Kapelle ab. So entsteht die Verhaltenheit, mit der man an die Hand genommen und geführt wird, wenn man sich im Abschreiten der gegensätzlichen Entsprechung und dem Nebeneinander der Gestalten überläßt. Es ist eine bezwingende Natürlichkeit darin, wie diese Stationenwege, wenn auch nur als Andeutung, hier vor der Erlösung, dort vor der ewigen Pein ihr Ziel finden. Denn die Freskenreihe der Arenakapelle bedeutet auch ein religiöses Bekenntnis von kristallener Klarheit, wie es nur ein wahrhaft freier und aufrechter Mann ablegen konnte, der fest auf dem Grunde des Glaubens seiner Zeit aufbauend mit stolzer Selbständigkeit der Lehre gegenübersteht. Nirgends wird man im Umkreis des vielfach geweihten Raumes der Arena etwas von der scholastischen Klügelei einer erstarrten Religiosität aufdecken können, und sei es auch nur als Wirkung fremden, ungiottoschen Geistes. Das läßt sich gerade deutlich an der Art spüren, wie der Künstler von der Ausgießung zur Epopöe des Ganzen, dem Jüngsten Gericht, überleitet.

Es ist notwendig, auch noch über die zarteren Gelenke zu sprechen, mit denen die Strophen zum Liede sich knüpfen. Die Einheit des Ortes wahrt Giotto in einer zwar freien, aber folgerichtigen Art, die sehr weit entfernt ist von der pedantischen Sorgfalt, mit der Duccio im Dombild verfährt. Die „Verkündigung an Anna" läßt Giotto in demselben Gemach geschehen, in dem Maria geboren wird, die Szenen mit den Freiern vor demselben Altar, an dem Maria dem Joseph vermählt wird. Ähnlich eng ist das Verhältnis zwischen „Abendmahl" und „Fußwaschung", lockerer zwischen der „Verwerfung von Joachims Opfer" und dem „Tempelgang Mariae", wo derselbe Raum offenbar von verschiedenen Seiten dargestellt wird. Das Hosianna ertönt dem Herrn nahe demselben Stadttor Jerusalems, durch das er sein Kreuz tragend nach Golgatha geschleppt wird. In den landschaftlichen Szenen bedient sich Giotto dieses Mittels in einer mehr allgemeinen Art, etwa wo er die Kümmernisse Joachims erzählt, oder man vergleiche die „Geburt Christi" mit der „Anbetung der Könige". Obwohl nicht so streng darin wie Duccio, ist Giotto doch logischer. Anderseits wird der Wechsel der Örtlichkeit stets hinreichend deutlich gemacht, wie etwa bei „Abendmahl" und „Pfingstfest" oder wie der Raum der Kaiphas-Szene klar von dem der „Verspottung" unterschieden wird. Dergleichen trägt Giotto mit soviel freier Selbstverständlichkeit vor, daß es gewöhnlich bei der Beschreibung der Bilder nicht beachtet wird.

Die Einheit der Handlung zu klären und zu festigen, verwendet Giotto folgerichtig Kopftypus und Gewandfarbe. Für die Hauptpersonen wie Jesus, Maria oder Johannes und Magdalena entspricht die Festlegung der Gewandfarben dem Herkommen, ist sozusagen kanonisch. Aber daß der Maler auch bei Joachim und Anna, bei Joseph, bei den Pharisäern, bei den zwölf Aposteln, bei Personen, die für die Handlung weniger bedeutsam sind, dies Verfahren verwendet, das sollte nicht übersehen werden. Die Kopftypen der Apostel entsprechen im wesentlichen der Kennzeichnungsweise, die von der italienischen Malerei des dreizehnten Jahrhunderts in Anlehnung an byzantinische Auffassung ausgebildet wurde. Es gelingt ohne Schwierigkeiten, wenn man die Typenfolge bei Duccio kennt, fast alle Apostel Giottos mit ihrem Namen zu benennen. Duccio hält sich ziemlich ängstlich an die überlieferte Charakterisierung der einzelnen Jünger, Giotto nimmt die wesentlichen Merkmale und schafft die Köpfe neu. Was ist bei ihm aus dem grämlich mürrischen Andreas geworden, um dessen hageres Antlitz die greisen kurzen Locken wie weiße kleine Flammen züngelten? Man sehe den herrlichen Kopf dieses Jüngers, der auf dem Bilde der „Fußwaschung" (Nr. 28), vornübergebeugt, von dem hochgezogenen Fuß die Sandale löst. Die langen grauen Locken rieseln weich bis an Schulter und Brust und decken fast die scharf geschnittenen Züge des edlen Greisengesichtes. Man muß an die Sorgfalt denken, die auch der heutige Italiener noch gern der Pflege des Haupthaares und Bartes widmet, um diesen Andreas nicht beinahe elegant zu finden. Was tut er? Die gleichgültigste Verrichtung von der Welt, er tut sie ohne Pose und tut sie ganz. Wie wenig sehen wir eigentlich von ihm und wie viel wissen wir von ihm. Ist er nicht der wahre Apostel, in dessen Seele das Feuer leidenschaftlichen Bekennermutes brennt? Würde er, der Greis, sich nicht aufrecken wie ein Jüngling und heißen Herzens, aber mit dem gesammelten Ernst, den schwere Erfahrungen eines langen Lebens leihen, Zeugnis ablegen? Eines der hinreißenden Beispiele von dem Pathos der Körpergebärde, das Giotto seinen Geschöpfen zu geben weiß, ohne pathetisch zu werden.

Es heben sich bei Giotto von dem zwölfgliederigen Chorus jene Typen am deutlichsten ab, denen auch die Überlieferung nach Alter und Haartracht ihr besonderes Interesse zugewandt hatte, die anderen sind mehr skizzenhaft behandelt, doch wird die Zahl der Jugendlichen, also bartlosen Jünger beibehalten. In den Bräuchen des Herkommens ließ sich jedoch kein Anhalt finden, daß für bestimmte Apostel gewisse Gewandfarben festgelegt waren. Daß Giotto sich eines solchen Farbenkanons bedient, ist um so bemerkenswerter, weil die Apostel als Einzelfiguren und in ihrer Gesamtheit weit weniger häufig auftreten als in Duccios Dombild, der zudem in den Halbfigurenbildchen der Vorderseite die Namen hinzugesetzt hat. In Siena gibt es also einen Zweifel über die Identität nicht. Giotto ist weniger peinlich. Er hat die Apostel zwar im Jüngsten Gericht als würdige Beisitzer deutlich sichtbar dargestellt, ihnen auch die in den anderen Fresken benützten Gewandfarben gegeben, aber gerade die Jugendlichen unter ihnen namentlich sicher zu bestimmen, gelingt nur annähernd. In der Arena wurde der Farbenkanon Giottos jedenfalls für wichtig und bedeutungsvoll angesehen. Das beweisen die Fresken der Giottoschule in der Tribuna, wo die Kennzeichnung der Jünger nach Typen und Farbenwahl, wenn auch verweichlicht und verwässert, den Vorbildern des Meisters ängstlich nachgeformt worden ist.

Giotto hat den Kanon auch dort, wo nur einzelne der Jünger auftreten oder sichtbar werden, angewendet. So nimmt Andreas als einziger Jünger an der „Hochzeit zu Kana" (Nr. 22) teil, in der „Erweckung des Lazarus" (Nr. 23) stehen Philippus und Simon hinter Jesus, beim „Einzug" (Nr. 24) erkennt man vor allem Petrus und Andreas, die dem Herrn ja besonders lieb waren. Wie, auf weniger bedeutungsvolle Nebenpersonen angewendet, das Verfahren der Verknüpfung der Handlung von Bild zu Bild dienstbar wird, dafür hat man in der „Vertreibung der Wechsler" (Nr. 25) ein schönes Beispiel. Am rechten Bildrand, ein wenig abseits, stehen zwei der greisen Pharisäer, die, miteinander tuschelnd, sich verständnisinnig in die Augen sehen. Sie sind die Häupter der Verschwörung gegen den Herrn. Der Alte im Kopftuch und dunkelrotem Mantel ist derselbe, der im nächsten Bilde dem Judas den Beutel mit den Silberlingen übergeben hat und nun mit dem Verräter die Einzelheiten des abscheulichen Planes durchspricht. Ist es nicht selbstverständlich, daß dieser Verschwörer im Bilde der „Gefangennahme" (Nr. 29) nicht fehlen darf? Beim „Judaspakt" (Nr. 26) sieht man rechts am Bildrande einen vornehmen Mann mit wallendem Haar und Bart. Er nimmt auf eine wundervolle Weise seinen in wenigen großen Falten gerafften lilagrauen Mantel an sich heran, als zöge er sich auf sich selbst zurück. Man erkennt ihn später wieder, denn er sitzt neben Kaiphas, es ist also Hannas (Nr. 30). Nun erst versteht man das Bild des schmählichen Paktes ganz, die Zurückhaltung des hohen Geistlichen, der in dieser Sache der eigentliche Urheber ist, aber im Hintergrund bleiben will. Mit einer drastischen Gebärde wird ihm das bestochene Werkzeug verruchter Absicht gezeigt und zwar von dem andern, der in der „Vertreibung der Wechsler" dem Alten im Kopftuch vertrauter Genosse ist. Als Beispiel solcher Beziehungen, deren Träger eine Nebenfigur geringen Grades ist, sei der vordere Hirte genannt, der mit dem Gefährten dem bekümmerten Joachim entgegenkommt (Nr. 2). Er sieht, die Hände betend erhoben, im „Opfer Joachims" die Hand Gottes Gewährung verheißen (Nr. 4), er ist der Schäfer, der, am Stabe gebogen, ergreifend als stiller Hüter wacht (Nr. 5), er ist es schließlich, von dem sich Joachim zur Stadt geleiten läßt (Nr. 6). So geht von Bild zu Bild ein Spiel zarterer Fäden, die, zurückgehalten aber deutlich genug sichtbar, dem großartigen Gewebe der Handlung eingewirkt sind. Nichts wäre falscher als darin das Zeugnis pedantischen Wirklichkeitssinnes sehen zu wollen, hier spricht vielmehr die naive Logik einer ganz reinen Idealität. Da man bei Duccio ein grundsätzlich ähnliches Verfahren beobachtet, wird man sagen dürfen, es träte darin ein psychologisches Verantwortungsgefühl der erzählenden Maler jener Zeit zutage, das beweist, wie sehr sie sich des zyklischen Zusammenhangs ihrer Bilderfolge auch im kleinen bewußt waren.

Sich der Farbe in einer solchen Weise bedienen, heißt, ihr als malerisches Ausdrucksmittel nur eine Nebenbedeutung einräumen. Sie führt noch kein Eigenleben, und deshalb spricht auch der Farbenwert beim Aufbau einer Komposition Giottos nur wenig mit. Die Frage nach der Farbigkeit kann man nur stellen, wenn man jene andere nach dem Erhaltungszustand der Fresken zuvor beantwortet. Die Gemälde haben natürlich durch die Zeit und durch Wiederherstellungen gelitten. Es gibt Stellen, an denen man erkennt, daß ganze Köpfe sogar in veränderter Haltung neu gemalt worden sind. Solche Köpfe verraten sich durch ihre elegante Glätte, der man das Ideal des ausgehenden Klassizismus anmerkt. Im ganzen genommen wird man aber doch glauben dürfen, daß uns die Mehrzahl der Bilder, zwar aufgefrischt und ergänzt, doch im wesentlichen (auch farbig) so erhalten ist, daß der Eindruck von Giottos Kunst nicht eine so starke Verzerrung oder Verfälschung erlitten hätte, um die Fresken der Arena als künstlerische Urkunden unbrauchbar zu machen. Die Lebenskraft des wahrhaft Großen ist so stark, daß ihm viel zugemutet werden kann, und es sich doch siegreich behauptet.

Sicher nicht ursprünglich ist das scharfe Blau, das die Decke überzieht und in allen Bildern als Hintergrund sichtbar wird. Es tut dem Auge weh und ist wohl der schlimmste Schaden, der den Fresken zugefügt wurde. Aus der im allgemeinen lichten Farbenskala der Gewänder, Architekturen und Landschaften fällt es ganz heraus. Man hat Giotto zu Unrecht feineres Farbenempfinden abgesprochen, denn die koloristische Haltung der Arena verrät soviel Verständnis für die Bedingungen der echten Freskomalerei, daß man sie schon meisterlich nennen darf. Man kann sich davon durch einen Vergleich mit der Madonna aus Ognissanti überzeugen. Die Farbigkeit der Wandgemälde der Arena wird mit einer verhältnismäßig kurzen Reihe bestritten. Viel sieht man ein warmes Weiß, ein lichtes Gelb, ein zartes Rosa, ein helles Lila, ein feines Grün. Das Lila spielt bald mehr nach Rot, bald mehr nach Grau und bleibt auch, wo es dunkel auftritt, nach dem zuletzt genannten Ton gebrochen, erhält nirgends die reine Sättigung der Veilchenfarbe. Das Grün wird zuweilen kräftig und tief, so am Mantel des Andreas. Rot erhält nie die durchglühte Leuchtkraft des reinen Zinnober, es wird meist nach Braun hin gestimmt, am klarsten in einem warmen Terrakott. Das herkömmliche Rot am Mantel der Magdalena ist ein schweres Braunrot, am Gewand der Maria ist es kalter Ton, ein etwas stumpfes Weinrot. Blau erscheint als dunkles Ultramarin am Mantel Christi und der Maria, ist aber sehr häufig abgeblättert und dann durch jenes heftige, nach Kobalt hin neigende Blau ersetzt, von dem die Rede war. Moschetti bemerkt, daß es bei der Berührung wie Staub abfällt. Besonders in den Szenen der Jugendgeschichte Christi (Nr. 15—19) ist es fast ganz verschwunden. Daß dieses Blau nicht ursprünglich ist, beweist die Zurückweisung von Joachims Opfer (Nr. 1). Rintelen hat zuerst darauf hingewiesen, daß jenes unverständliche Vakuum der rechten Bildhälfte durch den Verlust einer Figur könne erklärt werden. Scharfe Beobachtung der Stelle ergab mir, daß unter dem Blau Umrisse und Modellierung zweier Gestalten schattenhaft erkennbar sind, die vordere schien mir bärtig zu sein. Beide stehen etwas zurück und geben so das gewünschte Abklingen der kompositionellen Bildbewegung. Das Herkommen besaß die Figuren, wofür als Beispiel der Ausschnitt aus einem Madonnenbilde des Museo Civico in Pisa hierher gesetzt sei (Abb. S. XXIV).

Pisa, Museo Civico

Joachims Opfer wird zurückgewiesen
Madonnenbild um 1280 (Ausschnitt)

Aber im ganzen betrachtet, findet man in der Arena das Bestreben, die Kraft der Farben abzudämpfen. Sie haben trotz der durchleuchteten Freudigkeit, die auf den Wänden ausgebreitet ist, jenes maßvoll Gebundene, das zwar durch das Opake der Freskofarbe wesentlich mitbedingt ist, sich hier aber auch aus der bewußten Ausnützung der besonderen Eigenschaften des malerischen Mittels erklärt. Das Ganze in anderer Weise farbig zusammenzuhalten, dient auch das Blau der Decke und der Gründe. Die goldenen Sterne der Wölbung beweisen, daß es gedanklich aus der Vorstellung der Himmelsbläue herkommt. In den Gründen wird das kaum noch empfunden. Wie muß oder wie kann die Kapelle gewirkt haben, wenn ein ausdrucksvolles und kräftiges, aber weniger vorlautes Blau den gemeinsamen verbindenden Fond bildete, von dem die Vielheit der Gestalten sich mit ihrem starken Leben abhob.

Wenn Giottos Farbenempfinden als meisterlich bezeichnet werden konnte, so ist es doch begrenzter als das seines älteren Zeitgenossen Duccio. Dabei soll man nicht vergessen, daß die Technik der Tafelmalerei reichere koloristische Mittel darbietet. Wie Giotto diese anzuwenden wußte, bestätigt seine Madonna aus Ognissanti, obgleich sie jene Behauptung nicht entkräftet. In der Arena fehlt es nicht an koloristischen Härten, an allzu scharfem Nebeneinander von hellen und dunklen Tönen. Die Farbe wird weder nach ihrem Buntwert noch nach ihrem Lichtwert kompositionell ernstlich in Betracht gezogen. Wenn schöne und kraftvolle Farbenzusammenstellungen entstehen, so erwachsen sie aus dem natürlichen Empfinden des geborenen Malers. Es läßt sich auch sehr wohl beobachten, daß Giotto die einmal gegebenen Farben der Gewänder abstimmt auf die veränderte koloristische Umgebung, innerhalb deren sie sichtbar werden. Doch fühlt man, daß es nicht die Farbigkeit ist, die sein stärkstes Interesse erweckte. Auch der inneren Ausdruckskraft der Farben hat Giotto wenig Beachtung geschenkt. Wie reich ist Duccio gerade darin, sowohl bei der Anwendung des einzelnen Farbkörpers als beim Zusammenklang oder Gegeneinander der Töne.

Es sind Fragen, die jeder sich stellt, der das Glück genießt, die Gemälde Giottos in der Arena selbst auf sich wirken zu lassen, wie weit geht die Beteiligung der Schüler? Und: ist es möglich, für den Fortgang der malerischen Arbeit in der Kapelle ein Früher oder Später festzustellen? Daß Giotto nicht alles mit eigener Hand gemalt habe, ist eine Annahme, deren Richtigkeit sich ohne weiteres aus den Werkstattgebräuchen der Zeit ergibt. Man wird sagen können, daß die rein dekorativen Teile, also Marmorierung, Ornamente, dekorative Zwischenstücke, Medaillons auf das Konto der Schüler zu setzen sind. Sie arbeiten nach Giottos Entwürfen und unter seiner Aufsicht. Gerade die Gurten mit ihren zahlreichen Halbfigurbildnissen von Heiligen lassen schwächere Hände deutlich erkennen. Vielleicht gilt dies ebenso für die kleinen Szenen aus der Schrift und der Legende, die man in den Vierpässen der dekorativen Zwischenstücke sieht. Früher hat man auch innerhalb der Gemäldefolge zwischen eigenhändiger und Schülerarbeit unterscheiden wollen. Das Verfahren war einfach. Bilder, die den Kritikern nicht gefielen, waren Werkstattbilder, die anderen Arbeit des Meisters. Dabei geschah es denn, daß Szenen, die zwar nicht unmittelbar bestrickend sind, aber künstlerisch zu den größten Leistungen Giottos gehören, als Schularbeit angesehen wurden. Man liebte vor allem eine Seite Giottos und pflückte den Zauber ausdrucksvoller Gebärde aus dem Kranze heraus. Daß der Künstler sich gerade in den Darstellungen eines ruhigen Seins mit ganzer Pracht enthüllt, wollte oder konnte man nicht sehen. Im ganzen genommen wagen wir es heute nicht mehr, den Gemälden selbst die Eigenhändigkeit zu bestreiten. Das ist nun wieder nicht so zu verstehen, als ob jeder Strich, jede Farbfläche des Meisters Pinsel verrieten. Der Begriff Eigenhändigkeit muß in einem Sinne ausgelegt werden, der für Schülerbeteiligung an der Ausführung des handwerklich Vorbereitenden, auch noch von Nebenfiguren Raum gibt, dem Meister aber den Entwurf, die Ausführung der Hauptfiguren und ein Zusammenstimmen und Übergehen vor der Vollendung des einzelnen Bildes läßt. Nach wiederholter Prüfung kann ich nur drei große Gemälde der Arena nennen, in denen Schülerarbeit die Oberhand zu haben scheint: es sind „Himmelfahrt" (Nr. 36) und „Ausgießung des hl. Geistes" (Nr. 37). Weniger das erste Bild, wo hauptsächlich die Püppchen der aufschwebenden Engel und Heiligen, die winzige Händchen dem Herrn entgegenstrecken, Zweifel aufkommen lassen. Selbst in den herrlichen Gruppen der knienden Jünger fühle ich in Typen und Farben das Fremde, Schwächere. Deutlicher tritt es in der „Ausgießung" hervor, man wird eine gewisse Verflachung und Erweichung der Typen, die unkräftige Farbe, die Unbestimmtheit im Räumlichen bemerken und vielleicht nicht übersehen, daß dieses Gehäuse etwas von der pedantischen Kargheit klassizistischer Neugotik an sich hat. Die Apostel des „Jüngsten Gerichtes" scheinen mir noch um eine Nuance schwächer zu sein, wie überhaupt in dem oberen Teile des Riesenbildes die Mitarbeit der Gehilfen fühlbarer wird. Solche Beobachtungen ändern aber nichts an der Einheitlichkeit und Größe der gewaltigen geistigen Leistung, die sich auf allen Wänden der Kapelle offenbart.

Die Frage nach der Chronologie der Arenafresken ist von der älteren Zeit kaum aufgeworfen worden. Man meinte, Giotto habe mit der Geschichte von Joachim und Anna begonnen, sei dann zum Jugendleben Mariae übergegangen und habe, dem Fortschreiten der Handlung folgend, sein Werk zu Ende geführt. Erst neuerdings fand man, daß die beiden obersten Bilderreihen entwickelter seien als die übrigen. Romdahl* wollte dies so erklären: Giotto beginnt mit den Bildern der Jugendgeschichte Christi, malt die vier unteren Reihen, dann das Jüngste Gericht. Nach längerer Unterbrechung der Arbeit — Romdahl schickt Giotto während dieser Pause nach Frankreich — habe der Maler die beiden obersten Streifen ausgeführt, dann die Triumphbogenwand, um mit den Tugenden und Lastern zu schließen. Man wird gut tun, die Verschiedenheiten nicht allzusehr zu unterstreichen, lieber darauf zu achten, daß der Tenor der Erzählung und Handlung in der Vorgeschichte einen anderen Klang hat. Die räumlich hohe Lage der beiden obersten Reihen verlangte für die leichtere Sehbarkeit einfachere Mittel, größere Flächen, weniger Figuren. Giotto überwindet die Grenzen der perspektivischen und der Raumvorstellung, die seiner Zeit gezogen waren, durch die geniale Stärke seiner Anschauung, die immer das Ganze zu erfassen vermag. Er überwindet sie dort am glücklichsten, wo er einfache räumliche Verhältnisse geben, wo er wenige Handelnde auftreten lassen kann. Solche Bilder wirken deshalb unbeengter und freier, was nicht bedeutet, daß sie auch reifer seien. Nun enthält der zweite Gesang auch mehrere Bilder (Nr. 8—12), in denen verhältnismäßig viel Figuren auftreten. Sie sind aber in einem Sinne gefügt, der den Szenen des ersten Gesanges durchaus verwandt ist. Es wird auch hier nur mit den wenigen Figuren der Handelnden gebaut, so daß der Nerv des Ereignisses, eben der Lage der Gemälde wegen, besonders leicht und rasch erfaßt wird. Man braucht von den Freierszenen nur etwa zum Bilde des „Kindermordes“ (Nr. 19) zu gehen, um zu erkennen, welch freieres plastisches Leben hier auch den Nebenfiguren gegönnt ist, ja man wird das auch vor dem figurenreichsten der historischen Gemälde, vor der „Gefangennahme“ (Nr. 29) bestätigen müssen. Wenn wir in unserer bisherigen Betrachtung, die vornehmlich auf das Inhaltliche und die Führung der Handlung ging, zeigen konnten, wie Giotto mit dem Fortschreiten der Ereignisse wuchs und reifte, so findet diese Beobachtung ihr eigentlich selbstverständliches Gegenstück auch im rein Künstlerischen.

Schließlich ist es vielleicht doch nützlich, einmal dem Simpelsten einen Gedanken zu schenken. Es wäre unmöglich anzunehmen, Giotto sollte sich aus irgendeinem Grunde die Ausmalung der beiden oberen Reihen auf einen späteren Zeitpunkt verspart haben. Sind sie später gemalt worden, so könnte dies nur durch eine Dispositionsänderung des Stifters veranlaßt worden sein. Dann aber müßte auch die Bemalung der Wölbung eine beträchtliche Abänderung erfahren haben. So wie sie heute ist, könnte sie, wenn die obersten Bilder fehlten, doch nicht gewesen sein. Die Spuren eines solchen starken Eingriffes wären dann vollkommen getilgt worden. Es gelingt nicht, auch nur etwas davon zu finden. Denn, und hier liegt das Entscheidende, die Decke muß zuerst bemalt worden sein, und zwar aus den natürlichsten Gründen. Auch der Stubenmaler weißt erst die Decke, malt dann den Fries und zum Schluß die Wände; verführe er umgekehrt, würde er bereits vollendete Arbeit wieder verderben. Es gibt genug Beispiele dafür, daß immer die Decke zeitlich dem Darunterliegenden in der malerischen Ausschmückung voraufgeht. Man braucht in Padua selbst nur einen kurzen Gang in die Mantegna-Kapelle der Eremitani hinüber zu tun, oder an die Oberkirche von San Francesco in Assisi zu denken, wo sich die zeitlichen Schichten so hübsch untereinanderlegen, oder an den Chor von San Francesco in Arezzo mit den Fresken des Piero della Francesca. Die berühmteste Ausnahme spricht nur dafür, denn man weiß, welche Schwierigkeiten

---

* Axel W. Romdahl, Stil und Chronologie der Arenafresken Giottos. Jahrbuch der preuß. Kunstsammlung, XXXI (1911), S. 13 ff.

Michelangelo bei der Konstruktion eines freistehenden Gerüstes zu überwinden hatte, als er die Decke der Sixtinischen Kapelle zu bemalen unternahm. Kurz, auch solche Erwägungen stehen gegen die Chronologie Romdahls, die immer etwas Gewaltsames haben wird und den Künstler im Architektonisch-Konstruktiven des ganzen Planes mißversteht.

Die unglückliche Anordnung der Fenster war es, die Giotto zu der Isolierung der beiden oberen Reihen nötigte. Aber er vermochte aus dieser Not eine Tugend zu machen und gewann die behutsame Sonderung, die für die Vorgeschichte auch inhaltlich berechtigt ist. Wenn also „die untrennbare Einheit des Arenastils" (Rintelen), für die der kurze Zeitraum der Ausführung innerhalb von rund zwei Jahren auch eine Erklärung ist, der chronologischen Teilung bedürfen soll, so mag dafür folgendes die natürliche Lösung sein. Giotto begann die Arbeit an der Wölbung, setzte sie mit der Geschichte von Joachim und Anna fort und folgte den historischen Ereignissen, die er darzustellen hatte. Offenbar ist der thronende Gottvater der Triumphbogenwand zugleich mit der „Verkündigung" und der „Heimsuchung" entstanden, diese aber früher als der „Pakt des Judas". Bei der Eingangswand mit dem Gerichtsbild wird ähnlich verfahren worden sein, entsprechend dem allmählichen Abbau des Gerüstes. Hier scheint in der oberen Hälfte die Mitarbeit der Gehilfen umfangreicher. Das Apostelkollegium hätte man als etwa gleichzeitig mit dem vierten Gesange zu denken. An dessen Schluß würde Giotto selbst den letzten Richter in der Mandorla gemalt haben. In den Zusammenhang des fünften und sechsten Gesanges fiele dann die Arbeit an dem unteren Teile des Gerichtsbildes. Möglich, daß an der rechten Hälfte, der Hölle, Schüler beteiligt sind; die sprudelnde Fülle der Erfindung im Reiche dieser kleinen Figürchen spricht eigentlich dagegen. Die linke Hälfte gehört zu dem Herrlichsten, was Giotto gemalt hat. Den Schluß bilden die Allegorien der Tugenden und Laster.

Es geht durch die ganze entscheidungsvolle Zeitwende vom dreizehnten zum vierzehnten Jahrhundert das Streben, die überlieferten Bildvorstellungen der mit neuen Augen gesehenen Wirklichkeit anzugleichen. Die Entwicklung dieser Bildvorstellungen hatte schon in den ersten christlichen Jahrhunderten begonnen und nicht wenig antike Elemente bewahrt. Infolge der engen Beziehungen Italiens zum Osten war sie während des frühen und späten Mittelalters durch die Einwanderung byzantinischer Kunstwerke und auch byzantinischer Künstler mehrfach neu gestärkt und genährt worden. Man übernahm und verarbeitete nicht nur die Bildtypen, sondern auch — wenigstens für das Tafelgemälde — ein gut Teil der hochentwickelten Malweise der Griechen. Gerade das dreizehnte Jahrhundert wird durch einen kräftigen Zustrom byzantinischer Kunst nach Italien gekennzeichnet. Lebhaft stand diese Tatsache noch im Bewußtsein des sechzehnten Jahrhunderts, denn Vasari spricht, wie schon Ghiberti, von der Malerei vor Giotto einfach als von griechischer Manier, von maniera greca. Auch Giottos künstlerisches Denken war, das ist nur natürlich, von diesen Bildvorstellungen erfüllt. Das Überragende, Einzigartige seiner Erscheinung, im Vergleich auch mit den bedeutendsten Malern seiner Zeit, liegt in der folgerichtigen, umfassenden Kraft seiner inneren Anschauung. Er füllt nicht neuen Wein in alte Schläuche, er schafft, er gestaltet das Überkommene neu und hebt es aus dem dumpfen Dasein einer vegetativen, symbolhaften Idealität in das Licht einer idealen Wirklichkeit empor. Gerade dort, wo man bei Giotto alte Bildtypen, überlieferte Stellungen und Haltungen, alte Gebärden wiedererkennt, und das ist in fast allen Gemälden der Arena möglich, wird man seiner unvergleichlichen, schaffenden Kraft inne.

Die italienische Malerei des dreizehnten Jahrhunderts ist ganz Fläche und Linie, in den besten Bildern voll innerer Größe, voll starken Ausdrucks, aber ganz abstrakt. Die Linie hat überall die immanente Neigung zum Ornament zu werden, ob sie nun einen Berg, ein Gewand, oder den nackten Körper des Kruzifixus umschreibt oder ausfüllt. So sind auch die letzten Erinnerungen an eine hochstehende Raumanschauung bloß unverstandene Reste eines perspektivischen Systems, die im Bilde selbst nur noch ornamentalen Wert haben. Im letzten Drittel des Dugento, und auch schon früher, beginnt das Raumgefühl neu zu erwachen. Man findet tastende Versuche, zu einer Art Perspektive zu gelangen, das Vor- und Hintereinander der Körper wird empfunden, aber der Schritt aus der flachgewalzten Welt der Vergangenheit hinaus ist klein und sehr unsicher. Giottos Bilder dagegen haben Raum und Perspektive. Sein Raumgefühl ist stark, seine Perspektive der im Vergleich zu dem Erreichbaren gelungene Versuch mit einem System zusammenlaufender oder einander fliehender Linien und Flächen Raumeindruck zu erzeugen. Mit diesem Raumsinn verbindet sich ein in jener Zeit unerhörtes malerisches Verständnis für das Körperhafte der Dinge und Menschen. Es ist so ausgeprägt, daß man plastische Schulung in der Werkstatt eines Bildhauers voraussetzen möchte. Jede Figur, die Giotto hinstellt, hat ihren Bewegungsraum um sich, dadurch erhält sie dies Bestimmte, kraftvoll in sich selbst Ruhende. So entstehen bei Giotto wirkliche Gruppen, man kann das Vor- und Hintereinander ablesen. Seine Vorgänger malten Menschenhaufen, die an- und aufeinander klebten. Damit man der Vielheit gewahr werde, wurden die Köpfe der hinteren Reihen ganz über die der vorderen emporgezogen. Das wirkte nicht so widersinnig, wie es scheinen möchte, weil zu den perspektivischen Erinnerungen die überstarke Aufsicht gehörte. Standfläche und Standfestigkeit der Figuren gab es eigentlich nicht, denn das Verhältnis zum Erdboden blieb ganz ungeklärt. Als ob man sich dessen bewußt gewesen wäre, stellte man selten eine Figur frei in die Fläche. Der Einzelne, aber erst recht der Haufe erhielt eine Stütze. Man faßte sie durch einen Berg, durch ein Stück Architektur, das hinter ihnen aufragte, zusammen. Den Innenraum wußte man überhaupt nicht wiederzugeben, Teile äußerer Architektur mußten ihn versinnlichen, denen man gerne geraffte Vorhänge beigab. Man arbeitete mit Symbolen der Wirklichkeit.

Wie groß ist demgegenüber Giottos Freiheit im Bilde des Abendmahls (Nr. 27). In einem Raum von mäßiger Tiefe sitzen Christus und die Zwölfe um den Tisch herum, nicht aneinander gedrängt, sondern ganz ohne Zwang. Fünf der Jünger kehren dem Beschauer den Rücken, sie sitzen da, breit und schwer wie Felsen und doch ganz natürlich, wie man eben bei Tische sitzt. Das ist kein Haufe, das ist eine Versammlung von Männern, die ihrer selbst bewußt sind, von denen jeder etwas bedeutet. Gerade dies einfache Beieinander der Jünger, die nur mit Blicken oder wenig Worten sich über das „Der mit der Hand mit mir in die Schüssel taucht, der wird mich verraten" verständigen, macht die Szene so unvergeßlich eindrucksvoll, gibt ihr die starke Spannung, den tiefen Ernst der Stimmung. Es ist, als ob man den Raum hörte. Er fließt zusammen aus der Bewegungsmöglichkeit einer jeden Figur und gewinnt Kraft in der fünfmaligen Überschneidung des Tisches durch die schweren Körper d e r Jünger, von denen man nur die Rücken sieht. Bei Duccio wird die breite und schön gedeckte Tafel in so starker Aufsicht gegeben, daß Teller, Schüsseln und Messer nach vorn herabgleiten müßten. Hinter ihr sind sieben Jünger um den Herrn, der ungefähr in der Mitte sitzt, eng nebeneinander geordnet. Die große weiße Fläche des Tisches hat keine raumbildende Kraft. Und sie wird auch nicht durch die fünf vor dem Tisch sitzenden Profilfiguren der anderen Jünger gewonnen. Giotto dagegen kann die starke Aufsicht fast ganz beseitigen und erreicht die räumliche Wirkung im Verhältnis zu Duccio in unvergleichbarer Stärke. Freilich bleibt auch bei Giotto die Beziehung der Figur zur Begrenzung des Raumes, zur Architektur, zur Landschaft noch irrational, denn seine Gestalten sind zu groß an Körper für die Welt, in der sie leben. Im Abendmahl, überhaupt in den unteren Bildern, spürt man das weniger stark als in den oberen. Ein Vergleich wird überzeugen, etwa die „Begegnung an der goldenen Pforte" (Nr. 6) gegen die „Kreuztragung" (Nr. 33) gesetzt.

Giottos „Abendmahl" enthält nur eine echte Gruppe, jene, die von Christus, Judas und Matthäus gebildet wird. Man sieht an ihr, daß es dem Raumempfinden des Malers in seinem frühen Stil noch nicht gelang, die Figuren wirklich ganz voneinander zu lösen. In der „Fußwaschung" (Nr. 28), die komplizierter aufgebaut werden mußte, läßt sich dies noch deutlicher an den Gruppen hinter Andreas und hinter Petrus beobachten. Die große Wirkung dieser kostbar gefügten Komposition wird dadurch nicht beeinträchtigt. Es ergreift der stille, erfüllte Ernst, in dem die Teilnahme aller auf das eine Geschehen gesammelt wird. Ein Ton reiner, starker Hingebung ist darin, wie in des Petrus Worte: „Herr, nicht die Füße allein, sondern auch die Hände und das Haupt." Giotto ringt um die Bewältigung des Raumes. Solche Gruppen sind in den oberen Bilderreihen ängstlicher gestellt als in den unteren. Die schöne Gruppe dreier Begleiterinnen der hl. Anna, rechts unter dem Bogen der goldenen Pforte (Nr. 6), darf man wohl neben die Gruppe des Pilatus mit den beiden Pharisäern in der „Verspottung" (Nr. 31) rücken, um daran zu zeigen, daß im Verlauf der Arbeit auch hier Erfolge erkennbar sind. Übrigens geht Giotto sichtbarlich immer mehr darauf aus, die Gleichheit der Kopfhöhen streng durchzuführen. Seine Mittel, die Lockerung der Gruppe zu erreichen, sind höchst mannigfaltig. Wie schön ist ihm dies in der „Verspottung" gelungen, wo die Peiniger so frei um den Gequälten angeordnet sind, und wie durchsichtig ist der Raum der „Hochzeit zu Kana" (Nr. 22). Der Blick wird durch fünf räumliche Schichten geleitet. Man darf es schon mit Humor genießen, wie Giotto die breite Rückensilhouette jener Dienerin, sie hält ein Messer in der Rechten, dazu benützt, die räumlichen Schwächen der linken Bildhälfte zuzudecken. So sehr in den oberen Freskenreihen das Bestreben gefühlt wird, auch im Räumlichen mit Rücksicht auf die leichtere Sehbarkeit einfacher zu bleiben, so wenig läßt sich verkennen, daß sie eine primitivere Tiefenwirkung haben. Die Flachheit der Szenen ist von einer besonderen Art, die eine gewisse Scheu dem Raum gegenüber nicht verhehlt, während der Abstand zwischen „Abendmahl" und „Pfingstfest" nur als die Schwächung eines ganz besonders gelungenen Vorbildes durch fremde Hände erklärbar ist.

Giotto entwickelt den Raum mit einem sicheren Gefühl für das Ganze des Raumkörpers, wobei der Raum niemals Selbstzweck ist, sondern stets der malerischen Ausdeutung des Vorwurfes untergeordnet wird. So behält er eine klare Idealität. Duccio dagegen hat Raumeindrücke gemalt, die alles, was Giotto darin gelungen ist, in den Schatten stellen. Überraschende Einblicke und Durchblicke, impressionistische Ausschnitte aus der Wirklichkeit, die mehr als ein Jahrhundert italienischer Malerei vorwegzunehmen scheinen. Sie legen die reizvollsten Breschen in Duccios schwach entwickelten Szenenraum. Denn eben dies, den eigentlichen Bildraum geschlossen und wirksam aufzubauen, wie Giotto es vermag, das ist Duccio auch in seinen besten Bildern niemals gelungen. Dies gilt schon ganz, wenn man nur den Giotto der Arena vergleicht, ohne seine reifsten Gemälde in Sta. Croce heranzuziehen. Duccio hat sich dem Überlieferten nicht so frei schaffend gegenüberstellen können wie Giotto. Der Sienese bleibt immer ein Sohn der alten Zeit, der die Grenzen der Tradition zwar sehr wohl erkannte und sie an vielen Stellen ins Ungeahnte aufriß. Aber er sucht den Zugang zur Welt nicht von der Erde aus wie Giotto. Seherisch tut sich Duccio Pforten auf, er schöpft mit raschen, tiefen Blicken geniale Einfälle und streut sie gleich strahlenden Kleinoden in seine Welt, die wie ein Zauberreich in ihm lebt, und die er je und je mit seiner unstillbaren Freude am Leuchten und Schimmern der Dinge ausschmückt. Er sucht die Welt mit dem Herzen. Giotto ist mehr Geist, weniger Sinnlichkeit. Er kennt die blitzartigen Eingebungen nicht, und sucht nicht Erlebnisse, sucht Erkenntnisse. Die Welt reißt ihn nicht hin, vielmehr bezwingt er die Welt. Er geht bis zum Wesen der Dinge in stiller Gedankenarbeit vor, und so gilt ihm nicht so sehr die Schönheit wie die Wahrheit.

Giottos Bemühungen um das Raumproblem sind eine klare Absage an die Vergangenheit. Sie ist in des Künstlers Landschaften weniger entschieden. Noch immer bleibt auch bei ihm die Welt ein Felsengebirge ohne nährende Erde. Sie läßt nur kleine spärlich verteilte Bäume und winzige Kräuter wachsen. So malten die Byzantiner, so die Dugentisten die freie Natur. Aber was bei ihnen Andeutung, Symbol war, erhält bei Giotto den Wert des Wirklichen. Er malt allerdings keine realistischen Landschaften, er gestaltet eine Natur, die, auf klaren, liebevollen Beobachtungen aufbauend, sich rein in das ideale Weltbild einfügt, innerhalb dessen er seine Figuren leben und handeln läßt. Pflanzen und Tiere spielen darin nur eine geringe Rolle, und man empfindet deshalb ihre unverhältnismäßige Kleinheit nicht als unnatürlich. Die ältere Kunst war gewöhnt, das Bedeutendere, das Heilige, schon durch seine Größe über das Gewöhnliche, das Profane hinaus zu heben. Giottos Verfahren liegt anfangs durchaus auf dieser Linie. Aber er hat in der „Anbetung der Könige", in der „Flucht nach Ägypten" gezeigt, daß er über die wirkliche Größe der Tiere sehr genau Bescheid wußte. In der „Geburt Christi" haben auch die Schafe das rechte Verhältnis zu den Figuren (wie prachtvoll übrigens ist diese Tiergruppe beobachtet), gewiß das Ergebnis im Fortgange der Arbeit gewonnener Einsicht. Die Landschaften der Joachim-Bilder haben einen wärmeren, fast idyllischen Zug. Sie sind reicher in den Einzelformen und mit besonderer Sorgfalt gestaltet. Aber diese Sorgfalt hat etwas Mühevolles, sie steht darin, sie steht nicht darüber. Mit welcher bezwingenden Kraft wird die herrliche Landschaft der „Flucht nach Ägypten" auf die Wand hingerissen, und wie gewaltig senkt sich der Berghang auf die „Beweinung". Wo ist all das zierliche, liebliche Beiwerk der ersten Landschaften geblieben, die reizend beobachtete Distel und die anderen botanisch bestimmbaren Pflänzchen? Der österlich noch blätterlose Stamm der „Beweinung" ist ein wahrer Baum, und vor Magdalena im Noli me tangere wachsen kräftige Büsche, dann auch ein Gräschen und eine breit sich lagernde Ranunkel. Die Kronen der beiden oberen Bäume dieses Bildes sind leider dem greulichen Blau zum Opfer gefallen. Wie anders ist hier alles gesehen, und mit welch überlegener Beherrschung werden die nicht weniger getreuen Naturbeobachtungen dem Bildganzen eingefügt. Man greift hier das Erstarken der monumentalen Gesinnung mit Händen. Es ist doch ein sonderbares Mißverständnis. Giotto, der diese Bäume, diese Büsche, diese kraftvollen Tiere, diese gewaltigen Landschaften gemalt hatte, könne, nachdem er in Frankreich angeblich Jahre hindurch gearbeitet, darauf verfallen sein, winzige Pflänzchen, unwahrscheinlich kleine Tiere, Landschaften zu malen, deren Zauber man nicht bestreiten wird, die aber ganz jene räumliche Beherrschung, jene geschlossene Großheit vermissen lassen, die Giotto in den Landschaften der Christusgeschichte erreicht hatte. Selbst die schönste der frühen Landschaften, „Joachim bei den Hirten" (Nr. 2) macht darin keine Ausnahme.

Die „Flucht nach Ägypten" (Nr. 18) darf man die reifste nennen. Ein nicht allzu schmaler, ansteigender Saumweg, auf dem die heilige Familie entlang zieht, vorn der Beginn des Absturzes noch sichtbar, im Hintergrund steile Felshöhen. Die Flucht führte über das Gebirge. Bei aller Einfachheit das Bild einer düsteren Felsszenerie, wo Schlünde sich öffnen und der Fuß unvermutet vor Abgründen steht. Hinter dem Bergkegel, an dem Maria entlang reitet, senkt sich eine Schlucht ein und trennt ihn von dem zweiten, noch mehr zurückliegenden Massiv. Die Abnahme in der Größe der Bäume zeigt dem Auge den Weg, der stufenweise in die Raumtiefe führt. Wie ist die Landschaft von dem ahnungsschweren Ernst durchtränkt, mit dem Maria um ihres Kindes willen einem leidvollen Schicksal entgegengeht. Sie ist von dem königlichen Blut, das in den Adern der Frauen des Piero della Francesca kreist, und ihre majestätische Ruhe schwebt wie ein dunkles Geheimnis über den Wanderschritten der Begleiter. Denn es ist eine Flucht, und Joseph, der Führer, mahnt zur Eile, und die den Schluß des kleinen Zuges bilden, drängen vorwärts, indes der Esel gemächlich seine Füße setzt. Der ragende Fels hinter Maria macht das Steile ihrer Gestalt noch steiler, aber er senkt sich sanft im Zuge der Vorwärtsbewegung und schmiegt sich fast um den leicht schwebenden Engel, der mit der Hand vorwärtsweisend die himmlische Führung hat. So verweben sich Ruhe und Bewegung zu einer Einheit, die ernst und doch heiter ist.

Wieder hat man Ursache Giottos Verhältnis zu der Kunst seiner Vorgänger abzugrenzen. Von ihnen lernte er das Mittel, wie Berglinie und Architekturteile den Figuren Halt zu geben vermögen. In zahlreichen seiner Bilder kann man das noch erkennen. Im „Opfer Joachims" (Nr. 4) wird der Hirt noch recht hart und zaghaft von dem Felsen gestützt, in der Szene des „Traumes" (Nr. 5) geht die Kopfhöhe der Hirten etwas nüchtern in die Linie der Kuppe hinter ihnen über. Auch in der Szene bei den Hirten (Nr. 2) hat die Linie des schützenden Felsenriegels noch etwas Lastendes. Erst die späten Landschaften zeigen, wie Giotto das Mittel ganz zu vergeistigen vermag, so vor allem die „Flucht", noch freier die „Auferweckung des Lazarus" (Nr. 23), die „Beweinung" (Nr. 34) und das „Noli me tangere" (Nr. 35). In der „Taufe Christi" (Nr. 21) drängte sich in Giottos Bewußtsein das überlieferte Vorbild wieder stärker heran, die Felsufer fassen gar zu spröde die Gestalten der Engel und Jünger ein. Aber welch ein Schritt vorwärts, wenn man sich der Bilder der Älteren erinnert. Was bei ihnen mechanisch war, kaum bewußt, Jahrhunderte lang wiederholt, Wände waren, an die sich die unsicher stehenden Figuren lehnen konnten, das hat bei Giotto einen tiefen Sinn gewonnen. Es wird ein Nebenton, der mit vollem Bewußtsein eingesetzt, mit Überlegung gebildet, bald leiser, bald lauter sich ebensosehr der kompositionellen Kräfteverteilung im Bilde verschwistert, wie dem geistigen Gehalte der Darstellung.

Das gilt natürlich auch dort, wo Architekturen ein solches Amt übernehmen. Vergleicht man die „Zurückweisung Joachims" (Nr. 1) mit der „Darstellung im Tempel" (Nr. 17), die Szene, „wie die Freier ihre Stäbe bringen" (Nr. 10) mit der „Vertreibung der Wechsler" (Nr. 25), so wird man die erstarkende Freiheit gewahren. Giottos Architekturen haben bei weitem nicht den Reichtum des Grundrisses und der Einzelformen, wie man es bei Duccio findet. Sie sind meist schlicht, wenn auch mit Verständnis, zuweilen mit Zierlichkeit geschmückt. Gewiß haben sie auf die Zeitgenossen nicht so „modern" gewirkt, wie jene des Duccio, der gotischen Motiven breiten Platz einräumt. Auch Giotto verwendet die Architektur noch im Sinne der Älteren, indem er den Teil für das Ganze setzt, aber der Eindruck des Symbolhaften ist nahezu ganz verschwunden. Man hat im „Pakt des Judas" (Nr. 26) doch nicht das Empfinden, in der Loggia ein abgetrenntes Stück Architektur zu sehen, das nur Kulisse ist. Man meint den Zusammenhang mit einem größeren Gebäude zu spüren; soviel Kraft ward hier dem Teil gegeben, daß er zugleich das Ganze nicht symbolisiert, sondern darstellt. Der Vergleich mit der „Heimsuchung" (Nr. 14) gibt bemerkenswerte Aufschlüsse. Obwohl hier mehr Architektur gezeigt, ja breitere Begründung gesucht wird, bleibt sie primitiver, und man weiß nicht recht, was dies Gebilde für einen Sinn habe. Auch ist das Verhältnis der Figuren zur Architektur viel unbestimmter. Ebenso hat die auf den ersten Blick bestechende Apsis in der „Vermählung Mariae" (Nr. 11) nicht entfernt den Wahrheitswert wie die schöne Tempelfassade der „Vertreibung der Wechsler" (Nr. 25). Wie schwach und unklar ist jenes Chorstück einer dreischiffigen, flachgedeckten romanischen Basilika im Räumlichen und Tektonischen. Danach, wie es dem Hohenpriester eigentlich möglich war, hinter den Altar zu gelangen (Nr. 9), frage man lieber nicht. Mißlungen ist die Einsicht in die beiden schmalen Seitenschiffe, in die ein Mensch nicht eintreten kann, obwohl doch auch hier in den Apsiden die Altäre gezeigt werden. Dagegen in der Vertreibung der Wechsler die Fassade einer ähnlichen Basilika, die soviel architektonischen Sinn verrät, soviel bauliche Kraft hat, so lebendige Resonanz den Figuren leiht. Giotto müßte eine sehr merkwürdige Entwicklung durchgemacht haben, wenn er diese Basilika bauen konnte und dann Jahre in Frankreich brauchte, um von dem Besten, was er besaß, soviel wieder zu vergessen. — Eigentlich ist das große architektonische Verständnis Giottos doch nur ein natürliches Ergebnis seines Raumsinnes und seines Dranges, über die Beziehungen der Dinge zueinander Klarheit zu gewinnen. Was ist das Baptisterium im „Kindermord" (Nr. 19) für ein gesunder Bau, und welch trotziges Dasein hat das Stadttor der „Kreuztragung" (Nr. 32). So reizvoll dagegen die „goldene Pforte" auch scheint (Nr. 6), sie ist mehr ein flaches Versatzstück. Darum hat die Szene auch soviel Bühnenmäßiges.

Raum, Landschaft, Architektur, es ist die Umgebung, die Giottos Gestalten einfaßt, die bloß um ihretwillen da ist, die nur durch sie ihren Sinn erhält. In der älteren Malerei war diese Beziehung so gut wie nicht vorhanden, und die gegenseitige Bedingtheit würde nur dekorativ empfunden. Die monumentale Kunst verneinte sie mit Bewußtsein, was den byzantinischen Goldgründen den erhabenen Zauber überirdischer Unwirklichkeit lieh. Man sah Gott, man sah die Menschen, die Welt, in der sie lebten, blieb dem Auge der Maler unwichtig. Sie begnügten sich, wie mit gleichförmigen Schriftzeichen, die Umwelt anzudeuten. Darum wurde das natürlichste, das notwendigste Verhältnis des Menschen zu seiner Umgebung, das aufrechte Stehen und Gehen, das Sitzen und Liegen stets ein Schweben im Ungewissen. So wie der religiöse Mensch des Mittelalters den Blick auf das Jenseits gerichtet hielt und die Welt nur als unvollkommene, schmerzensreiche Vorstufe nahm, so schwand dem Künstler, der stets im Reiche Gottes und seiner Heiligen sich bewegte, der feste Grund unter den Füßen. Giotto hat auch in tieferem Verstande den Erdboden wiedereroberte und den malerisch geformten Menschen neu auf die Beine gestellt. Mit der ihm eigenen Logik begann er die Lösung des Problemes am entscheidenden Punkt. Er gab seinen Figuren zuerst den Grund, auf dem sie fußen konnten. Denn allen Räumen, die er gemalt hat, suchte er die gehörige Bodentiefe zu schaffen. Sie ist das tragende Fundament der Raumwirkung, die Giotto erreicht. In dem Bestreben, das Stehen der Figuren recht fest zu machen, wendet er der Bodenfläche im Verhältnis zu den stützenden Säulen der Beine, zum langen Gewande besondere Aufmerksamkeit zu. Es könnte scheinen, als vermeide es Giotto geflissentlich, die Füße der auftretenden Personen zu zeigen; in Wahrheit aber möchte man annehmen, er habe sich nur ungern der Tradition gefügt, die für alle heiligen Gestalten jenes noch aus der Antike stammende Idealgewand forderte, das bis über die Füße reichte. Gerade was der älteren Kunst, mit unseren Augen gesehen, so kläglich mißlang, Figuren, deren Gewandung Füße und Beine freiläßt, wirklich a u f zustellen, darin ist Giotto Meister. Wie fest stehen die Hirten der Joachim-Bilder und der „Geburt Christi" (Nr. 15), die Rückenfiguren der Schergen im „Kindermord" (Nr. 19) und in der „Gefangennahme" (Nr. 29), der Johannes der „Taufe Christi" (Nr. 21). Bei reinen Profilfiguren dieser Art gelingt ihm das nicht ganz so gut, wie man an den Freiern (Nr. 9), an der jungen Dienerin, zu der Jesus in der „Hochzeit zu Kana" spricht (Nr. 22), sehen kann. Eine

der neuen großen Taten Giottos ist es ja, daß er
die raumbildende Kraft der Profilfigur erkannte.
Dies auch im Stehen zum Ausdruck zu bringen,
war eine Aufgabe, die er in seiner Paduaner
Zeit noch nicht rein zu lösen vermochte.

Bei der langgewandeten stehenden Figur
wird die Gliederung des Unterkörpers ganz
verhüllt und das Plastische des Leibes kann
weniger gesehen, muß mehr gefühlt werden.
Darum gibt Giotto dem inneren Halt ein
äußeres Zeichen. Bei schlichtem Gewande
führt er eine glatte Saumlinie, bei reicherem
verbreitert er sie mit stützenden Stauchfalten
und gern wird auch die Borte des Ober-
gewandes nahe der Fußlinie geleitet, um die
tragende Horizontale zu stärken. Besonders bei
knienden und sich niederwerfenden Figuren
wird die Absicht sehr deutlich, Stützendes und
Gestütztes in eine reinliche, sprechende Beziehung zueinander zu setzen. Wieder zeigen
hier die Bilder der oberen Reihen häufiger Un-
klarheiten als die der unteren. Die gelöste,
übrigens nicht neue Haltung des schlummernden Joachim (Nr. 5) verschwindet hinter einem
Gebirge von Falten und hat nicht entfernt die
statuarische, ruhende Kraft des schlafenden
Joseph in der „Geburt Christi" (Nr. 15). Bei

Perugia, Pinakothek

Noli me tangere
Dreiteiliges Madonnenbild. Rechter Flügel
(Ausschnitt). Um 1290

dem Priester, der rechts vom Altare steht, als die Freier ihre Stäbe bringen (Nr. 9), bei
der Maria der „Vermählung" (Nr. 11) ist das Stehen unsicherer als bei der Maria der
„Darstellung im Tempel" (Nr. 17) und bei dem greisen langgelockten Jünger der „Taufe
Christi" (Nr. 21). Es sind Unterschiede, die zugunsten der letzten Beispiele sich aus der
zunehmenden Festigung des plastischen Gefühles erklären. Ähnlich verhalten sich gegeneinander die beiden Knienden der „Verkündigung Mariae" (Nr. 13) und die Maria der
„Himmelfahrt" (Nr. 36), die „Heimsuchung" (Nr. 14) und der „Pakt des Judas" (Nr. 26).
In diesem Sinne kann man den Zusammenhang der „Verkündigung" (Nr. 13) mit der
„Heimsuchung" (Nr. 14) nicht übersehen. Es ist bei Elisabeth die gleiche Unsicherheit
im Verhältnis der Bodenfläche zur Körperhaltung, die gleiche Schwäche in den Aussagen
über das Leibliche, wie oberhalb in dem Doppelbilde. Und die gewiß unvergeßliche Ge-
stalt der hl. Anna im „Tempelgang Mariae" (Nr. 8) bleibt nicht viel mehr als eine schön-
geschnittene Fläche gegenüber der Kraft und Fülle der plastischen Erscheinung in der
Magdalena des „Noli me tangere" (Nr. 35). Auch zwischen den Gebärden besteht ein
Unterschied des Sättigungsgrades, der für die Magdalena als ein Beispiel voll erblühter
Gereiftheit zeugt. Die zarte mütterliche Sorglichkeit der hoheitsvollen Frau, die nicht
ohne leise, bange Scheu ihr Kind den Händen des Priesters darbringt, hat doch nicht
jenen Tiefgang der sehnsüchtigen Gebärde „unsäglicher Reinheit", mit der Magdalena
dem Herrn die feinen Hände entgegenreckt.

Es ist eine andere Seite derselben Frage, die Fähigkeiten zu erörtern, die Giotto
besaß, den menschlichen Körper organisch und anatomisch darzustellen. Die oben

erwähnten Beispiele zeigen, daß er über die Lage der Glieder, über das Verhältnis der Flächen und Rundungen nur unvollkommene Vorstellungen zu vermitteln wußte, und daß dies bei verhülltem Körper besonders fühlbar wird. Ein vorgestreckter Arm, ein Bein scheinen kaum Gelenke und Knochen zu haben und das Lebenerfüllte eines menschlichen Torso wird unter den Kleidern nicht recht empfunden. Auch in den Gemälden Giottos liegt um die Gestalten noch jene eigentümliche neutrale Atmosphäre der Geschlechtslosigkeit, die für die Bilder seiner Vorgänger so charakteristisch ist. Und doch hat Giotto Männer und Frauen malen können, die in dem starken und reinen Ausdruck ihres Charakters als männliche oder weibliche Wesen zu dem Wahrsten und Tiefsten gehören, das je gemalt worden ist. In solchen Feststellungen liegt nur ein scheinbarer Widerspruch. Giottos Kraft der Anschauung vermag die einzelne Gestalt so fest als räumlich-plastische Einheit zu umfassen, daß sie sich wie von selbst mit jener lebendigen Wahrheit anfüllt, die künstlerisch die einzige Wahrheit ist. Der Wille Giottos, das Kubische des Körpers als raumverdrängendes Gebilde deutlich zu machen, ist so lebhaft in ihm, daß seine Menschen häufig etwas Gedrungenes und Schweres bekommen. Daraus ziehen sie ein gut Teil ihrer künstlerischen Überzeugungskraft. Unvergeßlich werden jedem die beiden Hirten der „Geburt Christi" sein, die, vom Beschauer abgewandt, zu dem Engel emporblicken (Nr. 15). Hier ist es keine Gebärde der Glieder, nur die Kraft ihrer Körperlichkeit, die sie so eindrucksvoll, so wahr macht.

Und man kann auch nicht sagen, daß Giottos Menschen — sein Figurenstil ist der Stil des bekleideten Körpers — von ihren Gewändern getragen würden. Indem Giottos Raumsinn mehr auf die Masse als auf das Organische ausgeht, bekommt man den starken Eindruck wirklich bekleideter Körper. Er umgibt sie mit Gewändern aus schwerem Stoff, der in großen Flächen und breitgeschwungenen, sonoren Faltenzügen herabfällt. So wird das Kubische der Leiber noch verstärkt. Aber Giotto hat auch schlanke Jünglinge malen können (Nr. 9, 10); und welch zierliches Mädchen ist Maria, die Braut (Nr. 12), wie elastisch ist sie noch als junge Frau in der „Geburt Christi" (Nr. 15) und in der „Darstellung" (Nr. 17). Der Künstler sucht auch im Faltenstil nicht so sehr das Schöngeschwungene, nicht das anmutige Steigen und Fallen spielender Säume, sondern das Wahre und Charaktervolle. Auch mit dem Schmuck der Gewänder ist Giotto sparsam. Wo er ihn gibt, dient er mehr der Kennzeichnung, gehört als Bestandteil zur Form des Kleides. Wenn die Zierde in kostbarer Stickerei sich reicher entfaltet, soll sie doch nicht mehr tun, als mit Würde hervorheben. So schreitet ein starkes und gesundes Geschlecht durch die Bilder der Arena. Es trägt seine Gewänder mit edlem Anstand, es rafft seinen Mantel mit natürlich vornehmer Gebärde. Adelige Frauen und selbstbewußte Männer; sie bewegen sich mit freier Würde, mit der stolzen Haltung aufrechter Menschen. Sie handeln mit bedächtiger Entschiedenheit und tun alles ganz. Sie können bis zur Qual leiden, aber sie lassen sich vom Schmerz nicht besiegen, denn sie stehen fest in der Welt, und ihr Wille macht sie stark. Es ist ein heldisches Geschlecht.

Das Kubisch-Geschlossene der Figuren Giottos läßt aber den Körper doch nicht ohne natürliche Beweglichkeit. Das Augenblickliche der raschen Geste sucht er freilich nicht. Seine Menschen haben — malerisch gesprochen — stets jene epische Ruhe, die das Fresko vor allem verlangt. Wie reizvoll gehalten sind die Schritte der Begleiter Mariens in der „Flucht" (Nr. 18). Selbst die heftigste Bewegung, die Giotto in der Arena gemalt hat, an der Rückenfigur jenes Häschers, der den fliehenden Jünger am Mantel packt, als der Herr gefangen wird (Nr. 29), drängt bei aller starken Natürlichkeit nicht aus dem Bildganzen heraus. Dieser Ruhe entspricht die Gemessenheit in der Haltung der Glieder, die in die packende Gesammeltheit des Umrisses jeder Gestalt sicher eingebettet ist. Wie der Hirte seinen Stock faßt, wie er sich auf seinen Stab stützt, wie Maria, das Gebetbuch in der Rechten, die Hände über der Brust kreuzt (Nr. 13), wie sie in der „Flucht" das Kind hält, das geschieht alles mit einer natürlichen Festigkeit, die reicher Modulation fähig ist. Schon der Gegensatz zwischen Körperstellung und Kopfhaltung genügt dem Künstler, um den Eindruck elastischer Beweglichkeit bezwingend hinzustellen. So Jesus in der Szene vor den Hohenpriestern (Nr. 30), so der Alte mit der drastischen Gebärde beim „Pakt des Judas" (Nr. 26). Allein das Profil gegenüber dem fast Frontalen seines Körpers gibt der Gestalt jene Energie mit, die wahrlich nicht an der geschmeidigen Aktionsfähigkeit aller ihrer Glieder zweifeln läßt. Und alles dies, obwohl leicht erkennbar ist, daß Giottos anatomische Kenntnisse sehr begrenzt waren, daß er von Sehnen, Bändern und Muskeln, vom Zusammenhang und den Teilen des Knochengerüstes nur kärgliche Begriffe hatte. Aber die Tiefe seines Blickes dringt doch weit in diese damals noch halb verschlossene Welt ein. Obwohl die physische und anatomische Unbestimmtheit überall zutage tritt und dem Körperstil bei aller Robustheit etwas Zartes verleiht, wie wußte Giotto etwa eine Hand zu malen. Den Sinn ihres Wesens erfaßt er mit überzeugender Schärfe. Die schönen Hände der Maria in der „Beweinung" (Nr. 34), jene mehr mädchenhaften der Magdalena im „Noli me tangere" (Nr. 36) sind klassische Beispiele. Den nackten menschlichen Körper darzustellen boten nur die Taufe und die Leidensszenen Gelegenheit. Gewiß sind in der Art der Modellierung noch manche Züge des linearen Schematismus der älteren Zeit nicht ganz abgestreift, aber wie sicher ist der Akt Christi in der Kreuzigung als Ganzes gestaltet. Welche Wahrheit liegt in den dünnen Armen, die von der Last des erstarrten Körpers ausgereckt sind, wie edel ist der Torso behandelt, und wie sprechend das Vordrängen der Knie. Kein Zweifel, Giotto hat auch von der Schönheit des menschlichen Körpers viel gewußt, wie hätte er sonst dem Leichnam Christi in der „Beweinung" diesen freien Adel des Leibes und der Glieder geben können? Die Hölle im Gerichtsbilde enthält ja zahlreiche, wenn auch kleine Akte, in allen erdenkbaren Lagen und Stellungen. Eine trecentistische „Akademie". Sie verdienten mehr Studium, als man ihnen bisher hat angedeihen lassen. Die Frische, mit der sie beobachtet und gezeichnet sind, macht sie eines Giotto wahrlich nicht unwürdig. Seine Auffassung des Aktes wird neben der Kreuzigung in Duccios Dombild, wo auch die beiden Schächer sich finden, deutlich. Dort sind mit bewundernswertem Verständnis für das Anatomische den drei Leibern in sorgsam abgestuftem Grade die Leiden und Qualen des Todeskampfes aufgeprägt. Diese Akte haben größere Naturnähe als jene Giottos. Es gibt zu denken, daß er, der „Realist", als welchen man ihn so gern bezeichnet, dem Gekreuzigten eine Idealität gegeben hat, die man eben heldisch nennen muß. Sein Kruzifixus ist, freilich in einem sehr anderen Sinne als auf den unerbittlichen, gemalten Riesenkreuzen des Dugento, der wahre „Christus triumphans".

Es ist neben der Begrenztheit der Kenntnisse Giottos auf anatomischem Gebiet auch die Enge seiner perspektivischen Ausdrucksmöglichkeiten, die ihm die Darstellung lebhafter Bewegung nicht immer so gut gelingen ließ, wie jene des Häschers in der „Gefangennahme" (Nr. 29). Der zuschlagende Mohr in der „Verspottung" (Nr. 31) ist dafür ein anderes Beispiel. Vollends mißrät ihm das, wenn er in die Bildtiefe weisende Bewegungen von Profil- oder Rückenfiguren zu malen unternimmt. Der abgewandte Arm des Johannes der „Beweinung" hat so wenig Glaubhaftigkeit wie das Zupacken und Schlagen des Knechtes im „Kindermord" (rechts). Der Verkürzungen wird Giotto in Padua auch bei ruhiger Haltung der Glieder noch nicht Herr. Welche Schönheit aber vermag er der ruhigen Bewegung, dem einfachen Gestus zu geben, wenn er den Herrn im „Einzug" segnen (Nr. 24), wenn er die greise Maria in der „Himmelfahrt" (Nr. 36) beten läßt. Unerschöpflichen Reichtum ergießt Giotto in die Ausdrucksgebärde. Man spricht so viel von der Drastik Giottos und scheint das Derbe in ihm häufiger zu fühlen als das Feine. Aber es möchte nicht mühevoll sein, zu zeigen, daß Giotto vielleicht ebenso oft für die zartesten Regungen den ganz lauteren Ausdruck gefunden hat. Nicht Weichheit ist es, sondern jene männlich verhaltene scheue Zartheit, die immer das Aufquellen der Empfindung abzustauen sucht. Mit welcher Feinheit leitet der Hohepriester Mariens Hand in der Vermählung (Nr. 11), und wo sind schmerzensreiche Hände mit edlerer Zartheit gemalt worden als in der „Beweinung", da Maria den Hals Christi umfängt, oder in der „Kreuzigung", da Magdalena mit tränenumflorter Innigkeit und Scheu nach den durchbohrten Füßen des Dulders tastet. Rührend ist die demütige Verehrung in der schüchternen Hand des knienden Königs, die kaum dem Christkind nahe zu kommen wagt (Nr. 16), und wie beredt sind die Hände des Priesters, der mit Judas den Plan zur Gefangennahme erörtert. Der Leser mag selbst den ganzen Schatz an Ausdruck durch alle Stufen der inneren Bewegtheit für sich bergen, bis zu den Ausbrüchen sinnlosen, leidenschaftlichen Schmerzes, mit denen jene Frau im „Kindermord" ihre Hände wie fiebernd ineinander klatschen läßt.

Die steilsten Höhen erreicht Giotto dort, wo ihm der ganze Körper Gebärde wird. Darin hat man den Künstler schon früh verstanden und lange den Zugang zu ihm besonders von hier aus gesucht, sich aber vornehmlich auf die Gefühlssättigung seiner Gestalten berufen. Die Gebärde ruhiger Haltung oder Spannung tat man gern unter dem Titel Drastik ab. Es gehört zu den reichsten Erlebnissen in der Arena, der Körpergebärde durch alle Stadien zu folgen und zu beobachten, wie sie, auf dem festen Grunde von Giottos räumlich-plastischem Empfinden erwachsend, sich mit der zusammenfassenden Kraft seiner malerischen Anschauung verschwistert, um sich unter der Macht seiner an allen inneren Regungen reichen Seele ganz zu Ausdruck zu verdichten. Es bot sich mehrfach die Gelegenheit, auf Beispiele hinzuweisen und deren Gehalt zu bestimmen. Hier wird es noch nötig sein, die Grundlagen des Beweises zu verbreitern, daß Giotto in seiner Paduaner Zeit eine Spanne durchlebte, innerhalb deren seine künstlerischen Einsichten sich vertieften, seine malerische Ausdruckskraft an Fülle gewann. Wenn irgendwo, so muß sich das an der Körpergebärde zeigen lassen, weil sie eine der stärksten Seiten seiner Kunst ist. Wer ganz unvoreingenommen die Folge der Fresken in der Arena durchliest, dem kann es schwerlich entgehen, daß sich eine deutliche Wandlung vom mehr Gefühlsbetonten zum mehr Spannungsbetonten in der Körpergebärde erkennen läßt. Er wird dann in Sta. Croce sich der Vollendung dieser Entwicklung gegenüber sehen.

In den oberen Reihen gibt es berühmte Beispiele für beide Arten der Körpergebärde. Der bekümmert bei seinen Hirten einkehrende Joachim, seine Begegnung mit Anna an der goldenen Pforte, die Mutter im „Tempelgang", die Maria der „Vermählung"; dagegen für das mehr Spannungsbetonte, die hockenden Priester, die das Grünen der Stäbe erwarten, und die Rückenfigur des Alten (rechts) im „Tempelgang". In der Christusgeschichte begegnet man der gefühlsbetonten Körpergebärde seltener, obwohl dazu häufigere Anlässe gegeben sind. Aber sie erreicht dort einen Grad der Sättigung, der sich, wie wir an der Magdalena (Nr. 35) gezeigt haben, an Stärke nicht mit Ähnlichem der oberen Reihen vergleichen läßt. Die „Begrüßung vor der goldenen Pforte" und der „Kuß des Judas" sind in ihrer inneren Begründung gewiß zwei sehr voneinander verschiedene Begegnungen, aber man muß es spüren, daß jene erste etwas Unbestimmtes bekommt, wenn man sie neben den „Kuß des Judas" stellt. Das Heroische mag an sich mehr Größe haben, aber es kann darüber kein Zweifel sein, wo die Intensität der künstlerischen Gestaltung stärker ist.

Ihren Anteil hat auch hier wieder die größere plastisch-räumliche Fülle gegenüber dem mehr Flachen der „Begrüßung". Erinnert man sich vor den in der „Erweckung des Lazarus" in Proskynese hingeworfenen beiden Marien (Nr. 23) und vor den hockenden Rückenfiguren der „Beweinung" (Nr. 34) jener erwartungsvollen knienden Priestergestalten, die das Grünen der Stäbe erhoffen, so wird man bei aller dokumentarischer Wucht ihrer Haltung die stärkere innere Spannung vereint mit größerer Schlichtheit in den Figuren der unteren Bilder finden. Es kommt hinzu, daß in den oberen Streifen solche Gebärden nicht so natürlich sich in das Gefüge des Bildganzen einordnen. Sie scheinen mehr um ihrer selbst willen da zu sein, der Komposition eine gewollte Zuspitzung zu geben, ohne daß sich in ihnen das Gewebe der Harmonien und Gegensätze ganz reinlich bände. Für das, was Giotto in der Gestaltung der Körpergebärde während seiner Paduaner Zeit an Tiefe und Größe zu erreichen vermocht hat, ist die Maria der Geburt Christi (Nr. 15) ein kostbares Beispiel, gerade durch die ergreifende Schlichtheit, mit der sie das Kind in die Krippe zurücklegt und dadurch, daß sich in ihr, trotz der scheinbaren Lockerheit im Aufbau des Bildes, der Sinn des Ganzen wie mit einem warmen Leuchten enthüllt. An Hoheit und innerer Gehaltenheit wird die „Geburt" von der „Beweinung" noch übertroffen, in der eigentlich jede Gestalt ganz Körpergebärde ist. Giotto verfügt hier über einen strahlenden Reichtum an Modulation. Alle Tonstufen aber sind auf die Harmonie des Ganzen rein abgestimmt. In jedem Betrachte entsteht hier eine Einheit von wahrhaft tragischer Größe. Obwohl Giotto gerade in diesem Bilde so unantikisch wie möglich scheint, ist er dennoch antikem Geist sehr nahe. Und wenn irgendwo, muß man es an dieser erhabenen Darstellung des Schmerzes begreifen, daß Giotto in der Arena ein Heldenepos gemalt hat. Ihresgleichen findet man in irgendeinem Sinne innerhalb der oberen Bilderfolge gewiß nicht. Die kritische Betrachtung freilich, da sie sich der Worte bedient, wird die Abstände zwischen früher und später tiefer machen, als sie in Wahrheit sind. Sie zerreißen oder spalten die Einheit des Arenastiles nicht, aber die Unterschiede lassen sich erkennen und nicht anders als aus einem Erblühen der monumentalen Gesinnung begreifen.

Es bleibt noch zu zeigen, wie Giotto aus Raum, Figur und Inhalt die organische Einheit, das Bild, schafft. Wenn man dabei mit früheren Szenen beginnt, wird es leichter sein, die Vertiefung künstlerischer Erkenntnis in den späteren wahrzunehmen. Die Gewohnheit der älteren Maler, die Figuren eines Bildes durch Architektur oder Bergkulisse zu stützen, hatte, grob gesprochen, nicht nur den Sinn, das Umfallen der Menschen zu verhüten, es war zugleich ein Mittel die Fläche mehr oder weniger geschickt aufzuteilen, wobei immer dekoratives Verständnis die Führung hatte. Das Bestreben ist deutlich, zwei in ihrem Gewicht annähernd gleiche Bildhälften zu schaffen; beliebt ist auch die Dreiteilung, seltener werden zwei ungleiche Bildteile abgewogen. Vor allem durch die bewußte Ausbildung des Raumes hat Giotto die Figur von der Zwangsherrschaft des Dekorativen befreit. Aber es wäre unwahrscheinlich, wenn man in der Arena nicht Nachklänge der älteren Art nachweisen könnte. Der „Traum Joachims" (Nr. 5) ist so aufgebaut, daß das Bestreben, zwei annähernd gleiche Bildhälften hinzustellen, unverkennbar ist. Dem schlummernden Joachim, der durch die Hürde hinter ihm Relief erhält — es ist sehr fein, wie die glatten Flächen und gehäuften Horizontalen der Hütte, das Kubische des Körpers und das Lebendig-Bewegliche des Gewandes zur Geltung bringen —, entspricht die schöne Doppelgruppe der beiden Hirten, die mit dem Felsen zu ihren Häupten ungefähr gleiches Gewicht erhalten, wie Joachim vor der Hürde. Damit der Engel dieses Gleichgewicht nicht aufhebe, zumal er im Sinne seiner Bedeutung für diese Szene beträchtliche Kraft der Selbständigkeit hat, ragt hinter der Hürde ein steiler Felsgipfel auf, der seine in Abstürzen bewegte Silhouette dem Bildinnern zuwendet, während sie nach dem Rahmen hin zwar steil, aber in ruhiger Führung absinkt, zugleich die fallende Dachlinie der Hürde stärkend. Das kräftige Gegeneinander der hellen und dunklen Flächen des Felsens erfährt durch das lichte Dach noch eine Steigerung, so daß die Energie des Herabschwebens herüberwirkend auslaufen kann. Es verrät das schmiegsamste Empfinden für den Bildorganismus, wie sich der Bewegungsbogen des Engels in der überhängenden Kuppe verfängt, nachdem er in der steilen Dachlinie wirkungsvollen Widerstand erfahren hat. Damit ist eine gelenkige Verbindung beider Hälften hergestellt. Gleich der Flugbahn eines weich herabschwebenden Vogels, nimmt die Berglinie die Bewegung des Engels sanft auf und leitet sie zu dem Träumenden hinab, während der Engel selbst durch den geraden, aber nicht harten Rücken des Felsriegels unter ihm wie von einer geheim wirkenden Kraft in der Schwebe gehalten wird. Der Bau des Bildes würde allzuviel Sprödigkeit haben, wenn Giotto nicht auch die unteren Teile durch die kleine Schlucht und die weidenden Tiere miteinander in Verbindung gesetzt hätte. Es ist von der geschmeidigsten Art, wie die gegen Joachim weisende Kante der Schlucht für das Auge in der Dachlinie der Hürde und dem Berge dahinter sich fortsetzt und so die Umfassung des Joachim bis in die linke Bildhälfte hineingezogen wird, während die lagernden Schafe vorn den Komplex der Hirten nach rechts hin verbreitern. Obwohl nun der kahle Felshang der Mitte Joachims Sonderung fein betont, gibt er doch dem Zentrum des Bildes etwas Unbelebtes, das auch durch die hineingesetzten Pflänzchen nicht hinreichend ausgeglichen wird. Das Räumliche der Bodenfläche wirkt nur wenig in die Tiefe. Es entgeht auch dem prüfenden Blick nicht, daß die Figuren der Szene alle in der gleichen Ebene sich befinden.

Im Grunde ist die „Zurückweisung Joachims" (Nr. 1) ebenso auf das Gleichgewicht der Bild h ä l f t e n gestellt, wie das „Opfer" (Nr. 4). Hier bleibt in dem Felshang unter dem Altar eine ähnlich tote Stelle wie im „Traum", während man dort den Eindruck erst durch Vervollständigung mit den verlorenen Figuren wiederherstellen muß. Auch sonst schimmert dieser Schematismus noch vor (Nr. 8, 9, 11), dagegen läßt sich erkennen, daß er in den letzten vier Gesängen fast ganz überwunden ist. Im „Kindermord" offenbart sich das Prinzip zwar noch deutlich (Nr. 19), aber sehr schön harmonisiert durch den zustoßenden Schergen der Mitte. Es verrät eine neue und starke Freiheit, wie Giotto die Szene vor den Hohenpriestern (Nr. 30) und die „Verspottung" (Nr. 31) aufgebaut und die beiden Vorgänge, die sich in jedem Bilde vollziehen, miteinander verklammert hat. Im „Einzug" (Nr. 24), weniger im „Kindermord", kommt auch das Kompakte, Blockmäßige der Gruppenfügung im Sinne der älteren Weise zum Vorschein, ist aber durch die Vorderfiguren, in denen sich die Gruppe sozusagen manifestiert, mit ganz neuer Kraft erfüllt. Im „Einzug" wird zwischen dem ebenen Boden links und dem zum Stadttor ansteigenden rechts klar unterschieden und die Gruppe mit voller Bewußtheit ihres räumlichen Wesens gesehen. Der langsam schreitende Esel, der den Herrn trägt, gibt einen so lebendigen Impuls der Bewegung, daß diese Szene den Schematismus ganz überwindet.

Je weiter Giotto in der Darstellung der Christusgeschichte fortschreitet, um so feiner und beweglicher wird er in der Kunst, kompositionelle Verknüpfungen und Gelenke einzufügen und zu begründen. Die Mitte herauszuheben, hat er ohnehin gern vermieden. Es gibt strenggenommen nur zwei Zentralkompositionen in der erzählenden Bilderfolge (Nr. 20, 21). Wo Giotto sich einer solchen Art des Aufbaues nähert, rückt er mit bewundernswerter Sicherheit den Schwerpunkt aus der Mitte ganz leicht heraus. Das geschieht gewiß in der Absicht, bloßer dekorativer Wirkung aus dem Wege zu gehen und auch in der Komposition den fortschreitenden Fluß der Erzählung nicht aufzuhalten. Denn wie wir gefunden haben, daß er die einzelnen Bilder inhaltlich durch kleinere Züge und locker angeknüpfte Fäden miteinander verbindet, so hat er der ganzen Folge das sich vorwärts

Bewegende, Strömende gegeben. Nicht zum wenigsten dies in die Breitegehen fast aller Kompositionen leiht dem Zyklus die epische Gemessenheit in der Entwicklung des Vorschreitens. So hat selbst die „Kreuzigung" (Nr. 33) noch etwas von jener Bewegung, die sie zum Glied einer Kette macht.

Die „Flucht nach Ägypten" (Nr. 18) ist nicht nur die schönste Landschaft, sie ist auch eine der gelungensten Kompositionen der Arena. Rein verbindet sich der Raum mit der Bewegung der wenigen Figuren, und der schweren Ruhe der Maria wird das mit der glücklichsten Hand geformte leichtere Beieinander der Begleitenden gesellt. Im Vergleich zum „Traum Joachims" (Nr. 5) werden die drei Bewegungsebenen der Wandernden zwanglos voneinander geschieden und der größten Raumtiefe des Hintergrundes links über den Folgenden, die größte Raumtiefe des Vordergrundes rechts bei den Vorangehenden entgegengesetzt. Den Eindruck der zunehmenden Enge erreicht Giotto so auf die ungezwungenste Art. Im Ansteigen wird auch der Saumpfad schmaler. Wir bleiben nicht im Zweifel, daß die heilige Familie auf ihrer Reise noch die Gefahren schwieriger Paßwege zu überwinden hat. Die Sorglosigkeit der Jüngeren steht hell gegen die ernste Versunkenheit der Mutter, während Josephs väterliche Besorgtheit einen anderen Ton menschlicher Wärme hineinbringt. Obgleich er allein auf Maria und das Kind hinschaut, sind doch alle anderen nur um ihretwillen da. So wie die umhegende Berglinie links und rechts in den Begleitern wurzelt, wird auch das ahnungsschwere Schweigen Mariae wie mit Herzlichkeit von ihnen behütet und getragen. Aus dem lebhaften Vorwärts der drei Nachfolgenden, aus dem gleichmäßig sicheren Schreiten des Tieres und dem im Wandern sich zurückwendenden Joseph wird in Bewegung und Gewicht der tragfähige Grund geschaffen, auf dem die schwere Gestalt der Maria natürlich ruht.

Der „Flucht", als dem Bilde gehaltener Bewegung, kann man das „Abendmahl" (Nr. 27) als eine Komposition der äußeren Ruhe entgegensetzen, die nach dem Grundsatz schlichter Reihung aufgebaut ist. Es mißfiel den älteren Kritikern vor allem, daß Jesus nicht die Mitte einnimmt, nicht stark herausgehoben wird. Sie erkannten nicht, wie klar die Gruppe links, trotz ihrer notwendigen Bindung an das Beieinander des gemeinsamen Mahles, gesondert ist, wie stark die Wirkung der Worte des Herrn gerade dadurch wird, daß man deren Eindruck schwer und gewichtig von Kopf zu Kopf wandern sieht. Nichts Pathetisches, kein erregtes Auf und Ab der Gebärden, nichts von dem geselligen Essen und Trinken wie bei Duccio. Nur wortkarge Männer, die das Unfaßbare wie ein unabwendbares Geschick mit Ruhe hinnehmen, ohne es noch ganz zu begreifen. Das Bild schwingt an der zart modulierten Haltung der Köpfe in feiner Bewegtheit, die sich in dem Gegensatz zu dem Unverrückbar-Festen der Körper noch stärkt. Bei aller abgeschlossenen Wucht des Nebeneinander, bei aller Kraft des Räumlichen, hat auch diese in sich ruhende Szene, den epischen Bewegungszug, der sie dem Ganzen einordnet. Die Gemeinschaft, jenes unzerreißbare Band, das den Meister mit seinen Jüngern verknüpft, erhält hier eine malerische Form, deren Eindringlichkeit das Erschütternde des Endgültigen hat.

In der „Fußwaschung" (Nr. 28) bekommt die Gemeinschaft einen viel weniger herben Ton, erklingt doch eines der wärmsten Worte, die von der Schrift dem Petrus in den Mund gelegt werden. Es ist von der größten Schönheit, wie die beiden Eckgruppen verschiedenes Gewicht haben, obwohl sie durch die vornübergeneigten Gestalten des Petrus und Andreas gleichen Nenner besitzen. Die optische Kurve steigt von Andreas zu den Häuptern des Johannes und Philippus, deren schlichtes, gesammeltes Dastehen zu den lichtesten Erfindungen Giottos zählt. Sie geben der ganzen Gruppe die statuarische Schwere. So entsteht ein leichter Hiatus, aber der freie Raum bis zu dem Herrn wird durch das Blicken der beiden Jünglinge gleichsam ausgefüllt. Die Distanz ist wie die sichtbar gewordene zarte Scheu, mit der junge Schüler dem Meister ihre Verehrung bezeugen. Der Blick geht nun ungezwungen über diese „Pause" hinweg, wird über die prachtvollen stillen Figuren des Bartholomäus und Simon weitergeleitet zu der zweiten Eckgruppe, die lockerer als die linke mit dem knienden Jesus in klarer Beziehung steht. Leider ist durch die Zerstörung der Farbe an der blauen Tunika des Petrus, die energische Innigkeit der Gebärde, mit der er an sein Haupt greift, verwischt, damit auch die feine Entsprechung zur Haltung Jesu undeutlich geworden. Wenn die räumliche Wirkung nicht so stark ist wie im Abendmahl, so hat sie doch Kraft genug, es zu zeigen, wie sich die Jünger um den Herrn scharen. Schließlich fehlen die gegenseitigen Verschränkungen und Zuordnungen nicht, mit denen die aus dem Mittelpunkt herausgehobene Gestalt Christi mehr flächenmäßig sich der Struktur des Gemäldes einfügt.

Die „Beweinung" (Nr. 34) stimmt als Komposition mit jener der Oberkirche von San Francesco in Assisi fast überein. Aber wie unvergleichbar ist Giottos malerische Auslegung der Szene. Um die edle Gestalt des hingestreckten Leichnams Christi die Klagenden in lockerem Kreise. Maria sitzt auf der Erde und hält den Oberkörper auf ihren Knien; eine hockende Figur, die nur als Rücken sichtbar ist, stützt das Haupt des Erlösers, eine andere in ähnlicher Stellung den Unterkörper, während Magdalena voll leidenschaftlichen Schmerzes die Füße hält, und neben ihr eine heilige Frau aufweint und sich niederbeugend die Arme Christi fest, aber zart an den Gelenken faßt. So ist jede der herrlichen Gestalten innig dem Leichnam hingegeben. Sie sehen nichts anderes als ihn. Mit unaussprechlicher Eindringlichkeit wird diese ganze Gruppe von den schweren herben Linien der Rücken und Beugungen zusammengeschlossen. Alle sind dem Schmerz untertan, der in der qualvoll auseinandergebogenen Gestalt der Maria, den stillsten, aber auch tiefsten Ausdruck gewinnt. Dieser ganze wie von innen glühende Kern erhält eine lockere Schale in den stehenden Klagenden. In jener Maria, die mit erhobenen Händen sich jammernd vornüberbeugt, um dem Toten ins Gesicht zu sehen. In der Frau neben ihr, die schmerzvoll die gerungenen Hände an die Wange legt. In Johannes, der, höher stehend, sich weit herabneigen muß, um in fassungslosem Leid, seine Arme weit auseinanderreißend, auf den Leichnam des Herrn hinabzustarren. Seine Gestalt überschneidet den nach dem Haupte Christi hin absinkenden Felshang, unter dessen höherem Teil Joseph und Nikodemus stehen. Joseph, ein Greis, hält über seinen Schultern das Leilaken bereit und schaut voll ruhigen Schmerzes auf die lauteren Klagen der anderen, indes Nikodemus, still die Hände faltend, voll Ergebung an dem Leide aller teilnimmt. So erhält der Jammer der Frauen, des jungen, leidenschaftlichen Johannes ein stilles, warmes Ausklingen in dem würdevollen Schmerz der gereiften Männer. Gleichsam im Spiegel des Überirdischen nimmt das erregte Wölkchen der Engel die Klage der Menschen mit Leidenschaft und fesselloser Heftigkeit auf, wie wenn die ganze mühsam zurückgehaltene Qual der Getreuen in ihnen lebendige Gestalt gewönne, in ihnen die ganze lastende Schwere des Leides zuckend und schluchzend sich befreite.

In der gewaltigen Komposition des Jüngsten Gerichtes (Nr. 35) macht Giotto die riesige Fläche der Eingangswand mit der ganzen Fülle seiner Kunst aufstrahlen. Oben, zu Seiten des schönen dreigeteilten gotischen Fensters, hält je ein gewappneter Engel vor den Toren des Himmels Wacht. Ein breiter leerer Raum unter ihnen gleicht der Weite des Unendlichen, die sich über die Szene des Gerichtes erhebt. Christus in der Mandorla, sehr schön dem Fenster zugeordnet, ist auch durch seine Größe das feste Zentrum, das von der feierlichen Versammlung der Apostel getragen wird, sie beträchtlich überragt, aber darum doch nicht erdrückt. Darüber die reisigen Legionen der Engel, die der Befehle des Herrn warten. Sie sind in Kohorten militärisch geordnet, viele Reihen hinter- und übereinander. Gleich mächtigen Strahlen tragen sie die Allmacht des Herrn in die

Himmel empor. Um die Mandorla schwebt, wie wenn er sie hielte, ein Kranz von Engeln. Das höchste Paar läßt nach den Seiten, das tiefste nach unten zu den Seligen und den Verdammten die Posaunen des Gerichtes ertönen. So wird das Oben und Unten locker verknüpft, während es von dem Hinauf der Erlösten, von dem Hinab des Feuerstromes fest zu dem letzten Richter in Beziehung gesetzt ist. Das riesige Kreuz, dessen Arme von je einem Engel gehalten werden, trennt die Reiche; beide sind in zwei Zonen geteilt. Maria führt links die obere an, sie steht vor einer schmalen, hohen, ehemals mit goldenen Strahlen verzierten Mandorla, die von Engeln gestützt wird und das Königlich-Gütige ihrer Gestalt klar leuchten läßt. Dadurch wird sie nächst dem letzten Richter die bedeutendste Kraft des ganzen Bildes. Gnadenvoll zieht sie eine kniende heilige Frau zu sich empor, der in vornehmer Lockerheit andere Heilige folgen; ganz links am Rande des Gemäldes erkennt man Franziskus. Noch durch die Zerstörungen der Oberfläche, die in diesem Wandteil besonders stark sind, dringt der machtvolle Zug verhaltener Bewegung, der wie mit Sehnsucht in der Mittlerin sein Ziel erstrebt. Unterhalb dieser Auserwählten, die schon auf Erden durch ihren makellosen Wandel den Himmel erworben hatten, zieht in dichtgedrängtem Schwarm die unübersehbare Schar der Seligen empor. Streng hält sie ein Kordon von Engeln zusammen und trennt sie zugleich von den Heiligen, denen überdies mehr Körpergröße gegeben ist. Nur leicht werden die einzelnen Klassen unterschieden, aber hinreichend genug, um an der Mannigfaltigkeit das Vielgestufte der Menschheit zu erkennen. Unter ihnen steigen als nackte kleine Figürchen die Auferstehenden aus ihren Felsengräbern.

Hatte in den Seligen das Licht der Zeit schon geleuchtet, in der Gruppe unter dem Kreuz wird es Gegenwart. Dort kniet der Stifter Enrico Scrovegni und bringt das große Modell seiner Kapelle, ein Mönch trägt schwer daran, drei erhöht stehenden Gestalten dar. Die mittlere, größte streckt mit gewährender Gebärde dem Knienden ihre Arme entgegen, als wolle sie den Demütigen liebevoll aufheben. Sie ist gekrönt und trägt das gleiche rote, kostbar gestickte Gewand über lichtem Unterkleid wie Maria in der Verkündigung. Da die Kapelle der Annunziata geweiht ist, scheint es die ungezwungenste Deutung zu sein, in der hoheitsvollen gütigen Frau, Maria, und zwar die Annunziata, zu sehen. Die Gestalt rechts von ihr mit den mehr männlichen Gesichtszügen wird Gabriel, der Verkündigungsengel sein, während die dritte im grünen Brokatmantel, ein kronenartiges Diadem im Haar, sich nicht benennen läßt. Die feinempfundene dekorative Ordnung, mit der das Fenster, die Mandorla und das Kreuz miteinander verknüpft sind, gibt der ganzen Fläche das Rückgrat, und es ist von der schönsten Art, wie die Mandorla, die geschwungene Linie der sitzenden Apostel und die straff gegliederten himmlischen Heerscharen das große gotische Triforium tragen. Das Kreuz trennt mit seiner unerbittlichen Geraden das Reich der Erlösten von dem Reich der Qualen. Herrschen dort die lichten heiteren Farben und harmonische Ordnung, so ist hier auf dem düster glühenden, rauchigen Grunde des Feuerstromes dem Kosmos das Chaos entgegengesetzt. Auch hier ist die Teilung in zwei Zonen erkennbar, jene obere der Stürzenden und von Teufeln Hinabgerissenen, und die untere der grausamen Strafen mit dem Höllenfürsten als Mittelpunkt. Die Scheidung ist nicht stark betont, dem Chaos soll das Regellose, Ungeordnete bleiben, damit der Kosmos zur Linken um so reiner erstrahle.

Weshalb übrigens war man so geneigt anzunehmen, Giotto sei hier persönlich weniger beteiligt gewesen? Weil man sich, noch immer von klassizistischen Idealen erfüllt, von dem nicht selten derben Realismus der höllischen Szenen an sich abgestoßen fühlte. Dann weil man glaubte, eben diese Darstellungen als für Giotto ein wenig unwürdig empfinden zu müssen. Schließlich, weil man die beiden Teile für zu unausgeglichen hielt. Die Hekatombe stygischer Pygmäenopfer schien nicht recht zu der erhabenen Schönheit des Paradieses zu passen. Man vermißte auch innerlich das Gleichgewicht der beiden Hälften. Dabei steht es doch vor aller Augen, wie Giotto mit dem düsteren Feuerstrom, dem er Mächtigkeit und Gewalt zu geben wußte, das Gewimmel der Welt des Grauens gegen die strahlende Stille der Erfüllung zur Geltung bringt.

Giotto läßt im „Pakt des Judas" (Nr. 26) den Satan auftreten. Er ist die Verkörperung der höllischen Zettelung gegen das Erlösungswerk, die in Judas ihr irdisches Werkzeug erhält. Bei Duccio findet man den Gottseibeiuns in diesem Auftritt nicht. Es ist keine Ursache, ihn bei Giotto zu verschweigen, denn seine Anwesenheit hat von vornherein im Plane gelegen. Für Judas und die anderen unsichtbar, wie ein schwarzer Schatten, tritt er auf und legt seine Klaue hart auf des Verräters Arm. Sein Heranschleichen erhält dadurch, daß er vom Rahmen überschnitten wird, etwas Augenblickliches, als könne er sogleich wieder verschwinden. Er gehört zu Judas wie sein böses alter ego. Wäre das Fresko nicht an dieser Stelle stark beschädigt, so daß von der Figur des Satans nicht viel mehr als eine Silhouette übrig ist, man würde es deutlicher spüren, daß sie auch im Zusammenhang des Bildganzen ihr Gewicht hat und nicht entbehrt werden kann. Sie muß mit Judas zusammengesehen werden, erst dann erhält die Asymmetrie der Bildteile ihren wahren Ausgleich in der Loggia hinter den beiden Alten.

Wenn Giotto der Darstellung des „Bösen" hier nicht aus dem Wege ging, ihn vielmehr ganz bestimmt dem rhythmischen Kräftebau einordnete, so läßt sich daraus doch ein Schluß ziehen, wie Giottos Stellung gegenüber solchen Geistern der Hölle, die für uns nichts Erschreckendes oder Grauenhaftes, nichts „Sündiges" mehr haben, zu verstehen sei. Im Bewußtsein der Zeit besaß die Hölle zweifellos keine geringere Realität als das andere Reich. Ich glaube, man verstände Giotto falsch, wenn man annähme, er habe derlei Szenen nur mit einem begleitenden Achselzucken des Zugeständnisses gemalt. In Italien, wo selbst heute mit bischöflicher Autorisation Teufel noch erfolgreich exorziert werden, bedürfen solche Fragen besonderer Einstellung. Wie Dante dem Inferno eine Kraft lebendiger Darstellung zu geben vermochte, die anderen Stiles ist als jene des Purgatorio und Paradiso, so steigt auch Giotto in der Hölle tiefer in das Gebiet jener realistischen Phantasie hinab, die sich von jeher gerade in den Vorstellungen vom Reiche des Luzifer betätigt hatte. Es fehlt darin das nach unserem Empfinden Burleske nicht, aber das Ganze ist doch mit Ernst auf den Ton des Grauens und der Qual gestimmt, und vielleicht hat nirgends in der Arena die Anwendung eines besonders starken Größenunterschiedes zwischen Heiligem und Unheiligem einen bewußteren Sinn als hier. Es würde das Bild, das man von Giotto als geistiger und künstlerischer Persönlichkeit aus den Gemälden der Arena gewinnt, trüben, wollte man als über etwas Nebensächliches über die Tatsache hinweggehen, daß für Giotto das Inhaltliche — man würde früher mißbilligend „das Literarische" gesagt haben — ebensoviel Bedeutung hat wie das Künstlerische. Das Inhaltliche geht diesem sogar an Gewicht voran, denn der ganze Reichtum seiner Kunst, wird ihm dienstbar gemacht. So wurde im letzten Gericht die Hölle breit dargestellt, wie es die Zeit erwartete, die hier mit dem Behagen des Grauens zugleich als abschreckende Drohung alle Register der Qual und Peinigung gern gezogen sah. Das hatte einer künstlerischen Klärung des Problems offenbar hindernd im Wege gestanden, und auch Giotto vermochte noch nicht die Übermacht der Volksphantasie künstlerisch ganz zu binden. Seine ernsten und durchdachten Versuche, ein Gleichgewicht zu erreichen, sind offenkundig. In der Malerei der Vorgänger und Zeitgenossen läßt sich nichts dieser Hölle Vergleichbares finden, Dantesche Größe hat sie freilich nicht.

Man muß sich der älteren Darstellungen erinnern, um zu sehen, mit welcher Freiheit sich Giotto auch auf diesem Gebiet zu bewegen verstand. Gleich einem riesigen Füllhorn schüttet der Glutstrom die Bündel nackter Leiber in die grauenhaften Schlünde, über denen als wüstes Ungeheuer Luzifer thront und seine Opfer gierig verschlingt. Die beiden Bildhälften wirken doch mit rhythmischer Kraft gegeneinander. Denn durch das wirbelnde Brodeln der Unterwelt gewinnt das leise, sanfte Ziehen der Seligen, wie wenn sie vom Sturme des Gerichtes emporgesaugt würden, die Bestimmtheit der Richtung, die Macht befreiender Zuversicht. So wird an diesem beglückten Hinauf, jenes qualvolle Hinab fast mit Schärfe fühlbar. Entsprechung und Gegengewicht wollen hier in einem chiastischen Sinne verstanden sein. Die sammelnde Kraft der Anschauung Giottos ist eine der stärksten Mächte seiner großen Kunst. Deshalb enthüllt sich der Sinn der einzelnen Schöpfungen nur dann vollkommen, wenn man sich entschließt, sie auch zusammenzusehen. Im kleinen wie im großen liegt in der rein und sicher abgestimmten Beziehung zwischen Sammlung und Sonderung, die sich mit dem Bildinhalt zur abgewogenen Einheit verschränkt, die bestrickende Klarheit Giottoscher Form.

Es ist ein hübsches Wort Tolomeis, wenn er sagt, Enrico Scrovegni habe die Terzine Dantes mit einer Kirche Giottos beantwortet, der unsterblichen Schmach eine unsterbliche Verteidigung entgegengesetzt.* Und zu dieser Verteidigung hat Enrico noch andere Helfer aufgeboten. Er mochte denken, je bedeutender der Schmuck der Kapelle gedeihe, um so mehr werde sie der Sühne des Vaters nützen. So hat er neben Giotto, dem größten Maler, Giovanni Pisano, den größten italienischen Bildhauer seiner Zeit, für sich zu gewinnen gewußt. Denn die herrliche Madonnenfigur mit den Engeln auf dem Altar der Kapelle (sie ist bezeichnet) kann nur von Enrico in Auftrag gegeben worden sein. Gewiß hat Scrovegni bei diesem Kirchlein nicht allein an den Vater, er hat auch an sich selbst gedacht. Schon zu Lebzeiten ließ er sich das Denkmal errichten, das heute in der Sakristei steht (Abb. S. XLIII). Mit Stolz scheint er in seinem letzten Willen davon zu sprechen. Man hat auch in diesem Monument lange, aber mit Unrecht, eine Arbeit Giovanni Pisanos gesehen. Die Tatsache, daß die beiden großen Künstler ihre Kraft der Ausschmückung der Kapelle gewidmet haben, gibt dem Raum eine ganz sonderliche Weihe. So war es natürlich, wenn man glaubte, Giotto und Giovanni seien einander in Padua, im Umkreis gemeinsamen Wirkens, begegnet. Wir wissen es nicht, aber wir dürfen annehmen, daß beide einander kannten, und daß Giovannis tief erregte Innerlichkeit irgendeinmal

Padua, Cappella dell' Arena, Sakristei

Denkmal des Enrico Scrovegni
Auf der Fußplatte: Propria Figura Domini
Enrici Scropegni Militis de Harena

* Tolomei, La Cappella degli Scrovegni, Padova 1881, S. 13.

den Florentiner werde ergriffen haben. Manche Züge im Werke Giottos könnten den starken Eindruck widerspiegeln, den der Maler von dem Bildhauer empfangen hatte. Die Kunst Giovannis scheint es zu sein, die dem schöpferischen Willen Giottos etwas von dem Wesen französisch-gotischen Lebensgefühls vermittelte. Aber das trifft bei Giotto auf die grundsätzlich andere Artung seines Wirklichkeitsdranges und wird von seiner tief in ihm selbst ruhenden Schaffenskraft ganz aufgesogen und umgebildet.

Wie gern wird das Große dem Großen gesellt. Darum hat man auch Dantes Inferno mit der Hölle Giottos in Beziehung gesetzt, hat man geglaubt, Dantesche Gedanken in der Arena bildlich gestaltet zu sehen. So ist es nicht; denn Giotto konnte das Gedicht noch nicht gelesen haben, als er in Padua malte, weil die Niederschrift noch nicht begonnen worden war. Doch sollte persönliche Berührung beider den Gedankenaustausch ermöglicht haben. Die Urkunden schienen das zu bestätigen; sie berichteten von einem Dantino Alighieri de Florentia, der sich damals in Padua aufhielt. Aber später ergab sich, daß es sich um einen Namensdoppelgänger des Dichters handelte, der den Schöpfer der Göttlichen Komödie lange überlebte. Auch Giotto hat übrigens solch einen gespenstischen Gegenspieler in dem Kaufmann Giotto di Bondone aus Siena gefunden, der aber nur in den Urkunden ein pergamentenes Dasein führt.*

Wie lange Giotto nach Vollendung der Gemälde der Arena noch in Padua blieb, vermögen wir nicht zu sagen. Besonders daß der Chor der Scrovegni-Kapelle nicht mehr von ihm ausgemalt wurde, könnte auf ein vorzeitiges Abbrechen der Arbeit schließen lassen, wofür auch noch andere Zeichen zu sprechen scheinen. Es ist merkwürdig, daß der Chor Schülerhänden überlassen blieb. Man möchte glauben, er sei noch nicht unter Dach gewesen, als Giotto die Malereien im Schiff schon zu Ende gebracht hatte; eine naheliegende Erklärung. Die alten Schriftsteller berichten, Giotto habe auch im Santo zu Padua, d. h. im Kapitelsaal gemalt, ebenso im Stadthaus, dem Palazzo della Ragione. Man liest, das sei eine Reihe von Jahren später gewesen. Die Reste im Salone sind nicht mehr verwertbar, und was im Kapitel gezeigt wird, ist zu sehr Fragment und nur weniges davon kam leidlich unbeschädigt unter der Tünche zum Vorschein. 1307 ist Giotto jedoch wieder in Florenz nachweisbar.

Seine Arbeiten in Padua sind gewiß die Früchte einer gereiften Jugend, jener Lebensjahre, da der Mann sich festigt und mit dem großen Wurf selbstbewußter Kräfte die starke Probe seines Könnens mutig hinstellt. Niemand, auch der Größte nicht, zeugt sich selbst. Von Cimabue führt kein Weg zu Giotto, und Giovanni Pisano, der Bildhauer, allein hat ihn nicht zu dem gemacht, was er in Padua schon ist. Aus der Florentiner Malerei des 13. Jahrhunderts konnte Giotto die große Kraft seiner Kunst nicht ziehen. Es gibt nichts anderes als dies, in dem Umkreise des römischen Cavallini die entscheidungsreichen Jahre des jungen Giotto sich abrollen zu lassen. Auch wenn wir sonst nichts wüßten, würden wir gezwungen, anzunehmen, daß Giotto vor Padua in Rom gewesen, daß ihm Cavallini irgendwie ein großer Eindruck geworden sei. Ältere Nachrichten nennen das Jahr 1298 für einen Aufenthalt in Rom; damals habe Giotto für den Kardinal Stefaneschi die Navicella und auch den Altar in St. Peter (Abb. S. 191) gearbeitet. Diese Nachricht hat für den Petrusaltar alles gegen sich, es ist unmöglich, daß dies Gemälde so früh entstanden sei und es ist unmöglich, es für eine Arbeit Giottos selbst zu nehmen. Für die Navicella möchte es gelten, wenn sie noch ein Urteil zuließe. Aber es steckt ein Kern von Wahrheit in der Tradition über das vielumstrittene Jahr 1298. Giotto muß um diese Zeit in Rom gewesen sein, wenigstens

---

* Vgl. Rumohr, Italienische Forschungen, II (1827), S. 40, Note, und Davidsohn im Repert. f. Kunstw., XX (1897), S. 374 ff.

um die Jahrhundertwende. Riccobaldus erwähnt, Giotto habe auch in Rimini gearbeitet; was wir dort finden und dort entstanden sein lassen, hat zwei Paten, Cavallini
und Giotto. Das ist aufschlußreich. Und wir wissen, daß Giotto 1301 im Kirchspiel
von S. Maria Novella in Florenz nahe der Porta Panzani sein Haus führte.

Die Tatsache eines römischen Aufenthaltes Giottos ist heute urkundlich gesichert.
Man kann schließen, daß dieser Aufenthalt nicht kurz war. Denn 1313 trug Giotto
dem Kaufmann Benedetto fu Pace, der in Rom lebte, auf, allerhand Hausrat, den
Giottos Wirtin in Rom zurückbehalten hatte, von ihr zu verlangen.* Daß zwischen
dieser Rückforderung und Giottos Aufenthalt am Tiber einige Zeit schon verstrichen
war, mag daraus hervorgehen, daß die Wirtin inzwischen ihre Wohnung gewechselt
hatte, und daß Giotto für 1311 und 1312 in Florenz bezeugt ist. 1312 läßt er sich in
seiner Heimatstadt in die Matrikel der medici e speziali eintragen, und im September
desselben Jahres vermietet er an Bartolo di Rinuccio einen französischen Webstuhl.
So kann man Giottos Aufenthalt in Rom für das Jahr 1310 annehmen und, da er
eigenen Hausrat besaß, glauben, er habe vielleicht gar Jahre dort zugebracht. Das
aber kann nur ein zweiter Aufenthalt in Rom gewesen sein, dem ein erster um die
Jahrhundertwende voraufgegangen sein muß, weil die Paduaner Fresken ohne eine
solche Annahme nicht möglich zu sein scheinen. In der Arena hatte Giotto seine
römischen Eindrücke bereits ganz in sich verarbeitet.

Wenn Giotto sich 1312 in die Zunft aufnehmen ließ, so könnte das einen gewissen
Abschluß seiner Wanderjahre bedeuten. Ghiberti weiß vielerlei über Giottos Tätigkeit
in Florenz, er kennt Malereien des Künstlers in der Badia, in S. Croce, in Ognissanti, in
S. Giorgio, in S. Maria Novella, im Palazzo del Podestà, im Palazzo della Parte Guelfa,
spricht von zahlreichen Aufträgen für vornehme Herren und schließt mit dem Campanile
des Domes, den Giotto erbaut habe. Vasaris Liste ist noch länger. Dem Bestreben, die
Reihe der Werke Giottos möglichst umfangreich zu machen, lag im Sinne der Zeit
der Wunsch zugrunde, den Ruhm Giottos und den seiner Vaterstadt zu mehren. Vasari
berichtete vieles nur vom Hörensagen und sein Auge war für die Kunst Giottos nicht
geschärft. Anderes entnahm er ohne Prüfung älteren Schriftstellern, natürlich vor allem
den Kommentaren des Ghiberti. Die moderne Kritik hat seine lange Liste beträchtlich
abgekürzt; vieles ist verloren oder nicht mehr nachweisbar, anderes Erhaltene kommt
häufig nicht einmal für den Umkreis Giottos in Betracht.

Schon Ghiberti erwähnt in Ognissanti eine große thronende Madonna mit Engeln
und, neben anderem, eine Darstellung des Todes Mariae. Das erste Bild wird für die
große Madonna der Uffizien gehalten; in dem zweiten sieht man den „Tod Mariae",
der seit 1914 im Kaiser-Friedrich-Museum in Berlin hängt. Dieses an sich gewiß nicht
unbedeutende Gemälde wird sich schwerlich auf die Dauer als eine Arbeit Giottos selbst
behaupten können, mögen es auch heute noch einzelne Forscher dafür nehmen (Abb.
S. 185 ff.). Vollkommene Übereinstimmung besteht gegenüber der Madonna aus Ognissanti (Abb. S. 116 ff.). Sie ist, nächst den Fresken in Padua, die kostbarste, ja die einzige
Urkunde der künstlerischen Handschrift Giottos, in der man ohne Vorbehalt lesen kann.
Das Bild hat verhältnismäßig wenig Schaden genommen. Die zahlreichen Ausschnitte,
die in diesem Bande gegeben werden können, ermöglichen es, soweit Abbildungen
es überhaupt gestatten, in dem überragenden Werk auch eine Rechtfertigung für den
Erhaltungszustand der Arena-Fresken zu sehen.

Viel ist über das Entstehungsdatum des Bildes gestritten worden. Man hat sogar
an die Zeit vor der Arena gedacht, immer aber das Gemälde, wenn auch als nachpadua-

---

* Vgl. Luigi Chiappelli in L'Arte (a. a. O., Literatur).

nisch, möglichst nahe an die Arena-Fresken herangerückt. Weil es als unumstößlich galt, daß Simone Martinis Maestà im Palazzo Pubblico zu Siena (datiert 1315) von Giottos Madonna abhängig sei, konnte das Bild der Uffizien nur vor 1315 gemalt sein. So ergab sich ein Spielraum von etwa zehn Jahren. Im allgemeinen entschied man sich für eine Datierung auf die Jahre um 1310. Gewiß sind die Beziehungen des großen Madonnenbildes aus Ognissanti zu den Wandgemälden in der Arena deutlich, so daß man in ihm die Nähe des Paduaner Stiles fühlt, aber wer kann sagen, Giotto müsse um 1310 so wie in der Madonna, er müsse um 1320 so wie in S. Croce gemalt haben?

Die Tafel der Uffizien hat noch immer die schwere, flachgieblig nach oben ausgehende Rahmenform, die wir von den großen Madonnen und Heiligenbildern des dreizehnten Jahrhunderts her kennen. Sie hat auch den starken Größenunterschied der Maria gegenüber den Nebenfiguren, womit die älteren Maler die hochheilige Frau über ihre Umgebung emporheben wollten. Mußte das Überirdische, das Unvergleichliche nicht auch unvergleichbar sein? So kann man die Tafel in gewissem Sinne noch als dugentistisch empfinden, aber sie ist trotzdem ganz neu, in der Tiefe ihrer inneren Formung und in dem Hochgereckten ihrer äußeren Gestalt. Man soll es gelten lassen, wenn man sie gotisch nennt. Aber diese Gotik hat viel Schwere, viel Erdgebundenheit.

Auch der Bildgedanke ist für Florenz neu, denn nicht allein eine thronende Madonna mit dem Kinde wird, wie auf den älteren Riesenbildern, dargestellt, sondern Maria als himmlische Majestät, inmitten ihres Hofstaates, der die Engel Krone und Salbgefäß, die Kennzeichen königlicher Würde, bereit halten. Die Maestà als künstlerischer Vorwurf hat sich wohl unter dem Eindruck des Bildes von der „Krönung Mariae" entwickelt. Derselbe Gedankenkreis deckt beide Darstellungen; was Maria in der Krönung w i r d, das i s t sie in der Maestà. So hat auch die Maestà von der „Krönung" die Fülle des himmlischen Gefolges herübergenommen. Diese Fülle brachte die Ausdehnung der Komposition in die Breite, darum wird auch die Maestà ein Breitbild. Wie es scheint, hat sich diese Wandlung in Siena vollzogen, oder sie läßt sich wenigstens einzig in Siena deutlich erkennen. Dort hat sie auch ihren besonderen Sinn, denn Maria war die Königin, die, feierlich dazu proklamiert, in ihrem prunkvollen Tempel über der hochgebauten Stadt thronte. Es ist ein folgerichtiger Weg, der von Duccios Maestà zu dem Fresko Simones im Rathaus führt. Man kann es verfolgen, wie Simones große Lösung weit über Siena hinaus wirkt und auch in das kleine Tafelbild überströmt, und man sieht, daß der Motivenschatz der „Krönung Mariae" immer wieder für die „Maestà" fruchtbar wird. Ein bedeutungsvoller Haltepunkt auf diesem Wege ist Ambrogio Lorenzettis kostbare Madonna in Massa Marittima.

Nennt man Giottos Tafel gotisch, so muß man das Fresko Simones gotischer nennen. Die Wandlung von der thronenden Madonna zur Maestà ist bezeichnend. Frauendienst und ritterlich-höfische Kultur gewinnen in der Majestät der Madonna ihre religiöse Umdeutung. Doch nicht in Florenz und nicht mit Giotto, aber in Siena und mit Simone vollzieht die italienische künstlerische Kultur im Zeitalter Dantes den Anschluß an die französische Weltkultur jener Tage. Und auch noch später sind es nicht Giotto und die Florentiner seiner Schule, sind es vor allem Simone und jene, die nach ihm kamen, die eine internationale Wirkung nach Frankreich, nach Deutschland, nach Spanien ausgeübt haben. In Giottos Bilde gewinnt also ein sienesischer Gedanke neue Form, und es empfing nicht Simone von Giotto, sondern Giotto von Simone Anregung.

Die Tafel hat noch immer Breite genug, um für unser Empfinden die Ausdehnungsbewegung nach den Seiten hin lebendig zu lassen. Das Gefolge entsendet im

Vergleich mit dem sienesischen Fresko nur wenige Vertreter zu Giottos Präsentation der göttlichen Königin. Aber sie werden vom Bildrand mitten durchschnitten, denn man braucht nicht alles zu sagen, um viel zu sagen. Erst wenn man die Beziehung der beiden Gemälde zueinander im Sinne der hier vertretenen Auffassung anerkennt, wird man der überragenden Meisterschaft ganz gerecht, mit der Giotto den sienesischen Gedanken, indem er ihn zu seinem eigenen macht, von Grund aus neugestaltet. Aus einer großen Dekoration (Simones Fresko gleicht einem gemalten Teppich) bildet Giotto ein wahrhaft monumentales Tafelgemälde. Er bildet aus der unbeirrbaren schöpferischen Freiheit heraus, die nur den großen Künstlern zu Gebote steht, die sich selbst zu erhöhen vermögen, auch wenn sie Gedanken anderer aufnehmen. Man bewundert an dem sehr greifbaren Verhältnis Giottos zur Malerei des 13. Jahrhunderts die Freiheit, die er den ererbten Vorbildern gegenüber bewahrt. Es wäre unlogisch, wenn man sie ihm, im Verhältnis zu einem Zeitgenossen, schmälern, wenn man, in Besorgnis um seine „Originalität", sich scheuen wollte, anzuerkennen, daß auch ein Giotto noch von bedeutenden Künstlern seiner Gegenwart etwas habe nehmen können. Im Grunde bewiese es, daß wir auch von Art und Wesen mittelalterlichen Kunstbetriebes nicht gerade tiefe Begriffe hätten.

Ein jeder sieht, daß der Thron Marias ein Abkömmling des Thrones der Justitia in Padua (Abb. S. 85) ist, nur viel zierlicher und leichter gefügt und geschmückt, im allgemeinen gesprochen gotischer. Dies ist ein sicheres, wenn auch nur äußerliches Zeichen dafür, daß die Tafel aus Ognissanti über den Arena-Stil hinausgeht. Tiefer greift man, wenn man auf die große räumliche Wirkung des Bildes hinweist. Noch tiefer, wenn man die vornehme innere Ruhe des ganzen Kunstwerkes nachfühlt, die einen starken Schritt über die Arena hinaus bedeutet. Denn Giottos Entwicklung läuft in umgekehrter Bahn, als es die sienesische tut. Hier kommt man von der sanften Gehaltenheit Duccios zu dem oft leidenschaftlichen Eifern, zu der fast ekstatischen Hingabe seiner Nachfolger, eine Wandlung, die sich unter dem Eindruck französisch-gotischer Gefühlsweise vollzieht. Giotto bändigt immer mehr die innere tiefgreifende Erschütterung, die auch leidenschaftlichen Ausdruck gewinnen kann, zu einer ruhigen Mäßigung. Er drängt das Gefühl zurück, und erreicht so die abgewogene, befreiende Ruhe des Klassischen.

Giottos Madonna hat im Farbigen und im tektonischen Aufbau eine feierliche, fast strenge Harmonie. Die klare und schöne Räumlichkeit gibt ihr eine hoheitsvolle Würde. Und doch ist wiederum eine lichte, heitere Klarheit darin, die Erfrischung ausströmt, wie die kristallene Durchsichtigkeit einer Quelle im Hochgebirge. Die Farbigkeit hat, so betrachtet, etwas Festliches. Man sieht viel Helle in den Gewändern der knienden Engel, in dem lichten Marmorbau des Thrones, warmes Grün in den Mänteln der beiden stehenden Engel. Ein leuchtendes Zinnober ist wie etwas Kostbares in kleineren Flecken über das Bild gestreut. Es glüht im Futter des Mantels der Maria auf und schimmert überschleiert durch die dünne Tunika am rechten Beinchen des Jesusknaben. Verhalten umgreift leichtere Farbigkeit die große Gestalt der Maria, die einen schweren, heute dunkelblaugrünen Mantel trägt.

Giotto hat die Unnahbarkeit dugentistischer Madonnen in das Licht einer neuen Auffassung gerückt. Das Göttlich-Königliche hält er in der Sphäre der Erhabenheit, ohne es zum Höfisch-Zeremoniellen zu machen. Die reine Menschenwürde verklärt er in den Zauber einer überirdischen Geistigkeit. Vor Giottos Bilde muß man an die Sixtinische Madonna denken. Sein Jesuskind sieht uns mit großen Augen so ernst und bang, so ungewußten Wissens kundig an, wie Raffaels Knabe Jahrhunderte später.

Giotto dringt eben in Tiefen vor, zu denen hinabzugelangen nur denen gegeben ist, die das Beste ihrer eigenen Art überzeitlich im Menschlichen zu spiegeln wissen.

Giottos Kunst ist so grundverschieden von allem sienesischen Wesen. Er hat nicht die leichte Beweglichkeit des Temperamentes, die sich so gerne an die Welt und ihren Reichtum verliert. Er hat nicht die Weichheit des Empfindens, die sienesischer Art einen weiblichen Zug verleiht. Ihm ist die Gespaltenheit des Inneren ganz fern. In Siena reißt man das Irdische, in Augenblicken grenzenloser Versunkenheit in das Sein, heftig an sich und will zu gleicher Zeit nach den höchsten, fernsten Sternen des Himmels langen. Es ist kein Zufall, daß S. Bernardin und die hl. Katharina aus Siena stammen, der Stadt der leichtfertigsten Männer und Frauen. Giotto wirkt demgegenüber kühl, fast bedächtig, wie einer, der überlegsam von innen nach außen baut. Bei aller Schärfe des Verstandes, bei aller Klarheit des Denkens behält er etwas Schweres, das aus den Bitternissen und Entzückungen des Ringens mit sich selbst herzukommen scheint. In dem großen Menschengeschlecht der Arena hat er sich gemalt; so wie seine Menschen leben, handeln, leiden, so ist er selbst. Die Alten erzählen mancherlei, oft derbe Anekdoten von ihm. Sie sind kaum im gewöhnlichen Sinne wahr, aber sie passen zu dem Bilde, das wir uns von ihm als Menschen machen können. Scharfer, schlagfertiger Witz steht neben der stolzen, hohen Einschätzung seines eigenen Wertes, dann feine Klugheit, die man sich gerne bei Giotto, dem Florentiner, für das Leben des Tages zu einer wirklichkeitssicheren Tüchtigkeit ausdeutet. Solche Anekdoten besitzen jene Wahrheit, die sich aus dem Wesen eines großen Mannes in der Atmosphäre seiner Zeit niederschlägt und auch ein Stück von ihm der Vergessenheit entreißt.

Von den zahlreichen Malereien Giottos in Florenz, die Ghiberti erwähnt, ist nur wenig geblieben. Wir wissen, daß sich 1312 in S. Maria Novella ein Kruzifix und ein Tafelbild befanden, die ein im Juni dieses Jahres errichtetes Testament als Arbeiten Giottos bezeichnet. Beide Stücke sind nicht mehr vorhanden. Jenes Kruzifix in S. Maria Novella, das Giotto lange Zeit zugeschrieben wurde, ist ihm fern, höchstens ein Schulbild. Dem grüblerisch-philosophischen Zug der Zeit, die an den Mahn- und Erziehungswert solcher Dinge glaubte, entsprach es, wenn man in den Rathäusern allegorische Gemälde anbringen ließ. So wie Ambrogio Lorenzetti im Palazzo Pubblico in Siena das „gute" und „schlechte Regiment" auf die Wand gemalt hat, so wurde Giotto der Auftrag für eine Allegorie im Palazzo del Podestà (Bargello) in Florenz. Sie hatte zum Inhalt: El Comune come era rubato. Das Fresko ist verschwunden. Die von Ghiberti in der Kapelle desselben Palastes erwähnten Fresken wurden jedoch nach einem traurigen Schicksal 1841 von der Tünche befreit. Sie sind nur Ruinen und soweit sich noch urteilen läßt, nicht Arbeiten Giottos, sondern seiner Schüler und wahrscheinlich erst in den letzten Lebensjahren des Meisters, wenn nicht später, ausgeführt. Besonders wegen eines Bildnisses Dantes, das Giotto selbst dort gemalt haben sollte, hat man sich viel mit diesen Wandbildern beschäftigt, ja, dies Porträt war die eigentliche Veranlassung, die Fresken freizulegen. Das Bildnis ist anläßlich der Auffindung sehr stark wiederhergestellt worden, im Laufe der Zeit aber von neuem gealtert (Abb. S. 183). Für Giotto selbst besitzt es keinen urkundlichen Wert.

Die alten Schriftsteller erzählen viel von der weitausgebreiteten künstlerischen Tätigkeit, die Giotto außerhalb von Florenz entfaltet habe. Urkundlich Gesichertes haben wir darüber nur sehr wenig. Von Padua, Rom und Rimini ist bereits gesprochen worden; angeblich hat er auch in Verona gemalt und Riccobaldus sagt, er habe für die Minoriten in S. Francesco in Assisi gearbeitet. Riccobaldus ist 1319 oder 1320 gestorben, und wenn seine Notiz nicht eine später eingefügte Nachricht ist, müßte Giottos Tätigkeit in Assisi auf einen frühen Zeitpunkt fallen. Die giottesken Gemälde aber, die in S. Francesco erhalten geblieben sind, stehen in einem unlösbaren Widerspruch zu der Annahme ihrer frühen Entstehung etwa bald nach 1300. Die Ausschmükkung der Grabeskirche des hl. Franz in Assisi vollzog sich in einem Umkreise, der selbst keine künstlerischen Kräfte aus sich erzeugen konnte, denn der kleine Ort hatte keine bodenständige Kunst, und darum mußten von Anfang an fremde Kräfte berufen werden. Sie sind aus allen Richtungen gekommen, aus Süden, Norden und Westen. So entsteht eine lebhafte, sehr reiche Tätigkeit, ein Kreuzungspunkt der verschiedensten künstlerischen Strömungen. Offenbar haben Künstler in der Kirche gearbeitet, die sonst kaum in Berührung miteinander gekommen wären, und das hat dem kleinen Assisi die kunstgeschichtliche Bedeutung eines vermittelnden Umschlaghafens gegeben. Aber gerade darum ist es besonders schwierig, aus dem Hinüber und Herüber der einzelnen Fäden ein klares Muster zu knüpfen. Denn es kamen alte und junge Künstler, bedeutende und weniger bedeutende, Nachzügler und Wegeweiser. Sie arbeiteten gemeinsam, sie lösten einander ab, es gab Zeiten stärkerer Tätigkeit, es müssen auch längere Ruhezeiten eingetreten sein. Und gegenüber so verwickelten Verhältnissen lassen uns die Urkunden ganz im Stich, nichts ist wirklich gewiß. Kein Wunder also, daß man die widersprechendsten Meinungen lesen und hören kann.

Wenn Ghiberti sagt, Giotto habe fast die ganze Unterkirche ausgemalt, so wird man darin doch nicht mehr sehen als die Tatsache, daß zu seiner Zeit noch eine Tradition lebendig war, die Giotto mit S. Francesco in Verbindung gebracht hatte. Schon die für Ghiberti bemerkenswerte Unbestimmtheit der Aussage schmälert deren Wert. Man hat sie übrigens auch auf die Oberkirche, d. h. auf die Franz-Legende bezogen, und so bei Ghiberti eine Rechtfertigung der Auffassung finden wollen, diesen Gemäldezyklus dem Giotto selbst zuzuschreiben. Thode nahm die ganze Franz-Legende noch als ein Werk Giottos, Rintelen strich sie, und im allgemeinen neigt die Forschung heute dazu, Rintelen zu folgen. Sichere Erkenntnis ist uns heute, daß die drei letzten Bilder (Nr. 26—28, Abb. S. 157, 158) nicht Giottos Arbeit sind. Man hat den Glauben an die Franz-Legende als an ein Frühwerk, überhaupt als ein Werk des Meisters, verloren, denn auch jene, die ehedem in dem Rest der Bilder (Nr. 1—25, Abb. S. 142 ff.) Giotto noch glaubten finden zu können, wollen ihm heute auch von dem Rest nur einen Teil lassen. Darin liegt die richtige Beobachtung, daß wir es in der Franz-Legende mit einer Arbeit mehrerer Hände zu tun haben. Sie offenbart eben alle Kennzeichen künstlerischer Unternehmungen, die an Sammelpunkten entstehen, wo vielerlei Bestrebungen aufeinander wirken, zahlreiche Künstler verschiedener Art und Herkunft arbeiten. In der Reihe der Bilder sind zwar einige bemerkenswert gute und anziehende Stücke. Die Mehrzahl aber ist nicht gerade bedeutend zu nennen. Die einzelnen Themen sind ihrem erzählenden Inhalt nach meist reizlos, schon als literarische Zeugnisse unselbständig und unkünstlerisch. Wieviel mehr mußten sie so wirken, wenn man daran ging, das Geschriebene in Gemaltes umzusetzen. Nur wenige dieser Bilder sind verständlich, wenn man die Legende nicht kennt, und nur wenige haben das Bildhafte zu nutzen gewußt, das ein wirklich großer Künstler aus der Erzählung hätte herüberretten, steigern und erhöhen können. Kunstgeschichtlich gesehen mischt sich vielerlei in der Bilderfolge; manches erinnert, besonders auch in der Farbe, an das Dugento, anderes ist weit fortgeschritten. Setzt man sie in Vergleich zu den Gemälden der Arena, so gerät man in einen nicht überbrückbaren Zwiespalt, wenn man die Franz-Legende für Giotto hält. Als Frühwerk, vor der Arena, scheint sie nicht denkbar, denn sie enthält im Architektonischen, im Landschaftlichen und in vielem anderen zahlreiche Züge, für die es in der Arena an Vergleichbarem gänzlich fehlt, Züge einer grundsätzlich fremden, entwickelteren Anschauung, in der man Giottos geniale Kargheit, seine Gesammeltheit und Folgerichtigkeit ganz vermißt. Aber diese Fresken haben Giotto zur Voraussetzung. Es sind Arbeiten von Künstlern, denen sein Werk einen tiefen Eindruck gemacht hat, ohne daß man sie seine Schüler nennen könnte. Vielleicht erklären sich gewisse Züge dieser Wandbilder, mit denen sie dem Florentiner Meister nahe zu kommen scheinen, auch daraus, daß die Maler der Franz-Legende später als Giotto in den römischen Künstlerkreis eintraten, in dem er selbst fruchtbare Jahre durchlebt hatte. So mochten sie leichter aufnahmefähig für das sein, was an Giotto neu und groß war, ohne das doch ihr so ganz anders geartetes Temperament ihnen erlaubt hätte, Giotto in seinem Besten zu begreifen. Auf solche Art könnte man sich zurechtlegen, wie die Maler der Franz-Legende über Giotto hinausgehen und zugleich hinter ihm zurückbleiben. Das Stück Weges in Giottos Vorwärtsschreiten, das wir übersehen können, führt von Padua über die Madonna aus Ognissanti nach S. Croce. Auf diesem Wege kann die Oberkirche keine Station für Giotto gewesen sein, er hätte sich selbst mißverstanden; hätte er vor Padua diese Fresken gemalt, so hätte er in der Arena Erkenntnisse geopfert, die er bereits gewonnen hatte, er würde einen Schritt zurückgetan haben. Je weiter wir in der Erforschung der Malerei des 13. Jahrhunderts kommen, um so mehr wird sich zeigen, daß Giotto nicht der Maler der Franz-Legende sein kann. Man muß sich von der Vorstellung befreien, als sei dies Jahrhundert in seiner künstlerischen Entwicklung arm an Talenten gewesen, und man soll sich erinnern, daß das Erhaltene nur Trümmer sind. Deshalb tut man gut, nicht auf wenige bedeutende Namen zurückführen zu wollen, was uns vom Schaffen so vieler in Bruchstücken übrigblieb. Und dann — dieser Giotto ist nicht bloß ein Talent, er ist ein Genie.

Weniger verwickelt liegen die Verhältnisse in der Unterkirche, hier sind es Schüler Giottos, deren Entfernung vom Meister klar bestimmbar ist. Vielleicht läßt sich Ghibertis Aussage so deuten, daß Giotto den Auftrag für die Unterkirche selbst übernahm, ihn aber durch seine Schüler ausführen ließ. Am fernsten ist dem Meister der Maler der Allegorien (Abb. S. 159 ff.), von dessen Hand wohl auch die Fresken des rechten Querschiffes (Abb. S. 164—171) stammen. Näher steht ihm der Künstler, der zu Seiten des Eingangs zur Nikolaus-Kapelle Szenen aus der Franz-Legende (Abb. S. 174/175) malte, am nächsten ein anderer, der für die besten Bilder in der Magdalenen-Kapelle verantwortlich ist (Abb. S. 177 ff.). Doch sind auch in diesem Raum mehrere Künstler am Werk gewesen (Abb. S. 179). Es ist höchst lehrreich für die Erkenntnis Giottos, beim Studium aller dieser zum Teil sehr hübschen und nicht unbedeutenden Fresken zu sehen, was die Schüler von dem Meister trennt und wie sie seine hohe Kunst zu dem breiten Strom des gefälligeren Zeitstils hinüberleiten. Vermutlich sind diese Bilderreihen im Laufe des dritten Jahrzehntes entstanden; sie haben alle die Arena und auch die Fresken in S. Croce zu Florenz als Wegweiser.

Die umfangreiche Tätigkeit der Werkstatt Giottos in der Unterkirche von San Francesco zu Assisi gestattet, sich eine Vorstellung von dem zu machen, was man unter dem Schulbetrieb des vierzehnten Jahrhunderts zu denken hat. In Padua nahm Giotto Schüler zu Helfern, die offenbar unter seiner besonderen Leitung nach seinen Entwürfen nur das Vorbereitende und das mehr Dekorative arbeiteten. In Assisi scheint er der große Unternehmer zu sein, der alles seinen Schülern überläßt und höchstens mündliche Angaben macht, es müsse so und so, dies und das gemacht werden. Sein Ruf mag so groß gewesen sein, daß man sich zufrieden gab, wenn nur seine Werkstatt einen Auftrag ausführte. Für besondere Arbeiten wird man ihn persönlich verpflichtet haben, wie man das schon im dreizehnten Jahrhundert tat, denn Urkunden dieser Zeit fordern ausdrücklich, der Maler müsse dies oder jenes Gemälde mit der eigenen Hand ausführen.

SEIN großes künstlerisches Unternehmen scheint Giotto aber von Florenz aus geleitet zu haben. Wir können ihn urkundlich für zahlreiche Jahre am Arno nachweisen, er hat Anfang der dreißiger Jahre noch im Kirchspiel S. Maria Novella gewohnt und ist dann in das Kirchspiel S. Michele Visdomini umgezogen. Wenn erst einmal die Florentiner Notariatsakten systematisch durchgearbeitet worden sind, wird man gewiß Giottos Aufenthalt in Florenz in engeren Jahreszwischenräumen bestimmen können, als es heute möglich ist. 1313/14, auch 1315 ist er in Florenz; vielleicht hat er damals das große Tafelbild der Uffizien begonnen. 1318 macht er seinen Sohn Francesco selbständig. Wir wissen, daß Giotto verheiratet war und zahlreiche Kinder hatte. Sein Vater besaß in Colle di Vespignano im Mugello bei Florenz ein Landgütchen. Es ist in des Sohnes Händen geblieben, er hat anderes hinzukaufen können und man darf glauben, daß Giotto ein ansehnliches Vermögen erworben hat.

Wann Giotto die Fresken in S. Croce malte, ist ungewiß; wir können nur schließen, daß sie nach 1317 begonnen sein müssen, wenigstens die in der Kapelle Bardi, denn Ludwig von Toulouse (Abb. S. 140) ist in ganzer Figur an der Fensterwand gemalt und trägt einen Heiligenschein. Da er erst 1317 heilig gesprochen wurde, kann sein Bild nicht vor diesem Jahre den Nimbus erhalten haben. Also ist es möglich, daß Giotto bereits 1318 in der Bardi-Kapelle am Werke war. Obwohl dieser einzige Anhaltspunkt für die Datierung schließlich nicht viel sagt und wir bis zu Giottos Tode Spielraum haben, den Zeitpunkt der Entstehung der Fresken irgendwann innerhalb dieser Jahresreihe anzunehmen, so findet sich bei den Forschern doch gewöhnlich die Ansicht, daß Giotto zu Beginn der zwanziger Jahre in der Bardi-Kapelle malte. Alle stimmen darin überein, daß man ihn selbst in den beiden Kapellen vor sich habe, wenn auch nur die Aussage Ghibertis es bestätigt. Daß die Wandbilder von dem Maler der Arena-Fresken erdacht und gearbeitet worden sind, kann man nicht bezweifeln. Leider ist ihr heutiger Zustand sehr durch weitgehende Restaurierung verändert, manches ist von den Wiederherstellern Bianchi und Marini ganz neu gemalt worden, nicht nur mehr Nebensächliches und Dekoratives, sondern wahrscheinlich auch ganze Teile der Fresken selbst. In der Farbe kann nur wenig von Giotto geblieben sein. Die beiden Kapellen sind auch bloß ein Rest der Arbeit Giottos in S. Croce, denn Ghiberti berichtet von vier Kapellen, und Vasari sagt Genaueres darüber. Außer der starkübermalten Himmelfahrt Mariae über dem Eingangsbogen der Cappella Tosinghi-Spinelli ist von den Gemälden der beiden anderen Kapellen nichts mehr auf uns gekommen.

Man wird in S. Croce des peinigenden Gefühls nicht ledig, vor einem Giotto zu stehen, dessen wahre Gesichtszüge die Zeit sehr verwischt, spätere Hände stark umgeformt und erneuert haben. Es ist sicher richtig, daß das wirklich Große auch durch fremde Hände (sie müßten denn gewissenlos sein), nicht ganz vernichtet werden kann. In S. Croce ist doch wenigstens die Komposition der Bilder so unter der Tünche an den Tag gekommen, daß man die große Kunst Giottos wieder zu erkennen vermag. Es ist oben versucht worden, auf Grund der im Vergleich mit S. Croce hervorragend erhaltenen Paduaner Fresken Giottos, den Umkreis seines künstlerischen Wesens abzustecken, die Kraftströme seines Wollens bloßzulegen, ihre Wirkungswege und ihre

Hemmungen zu zeigen. Das dort Gesagte wird sich hier bewähren müssen, um dieselbe unverkennbare Art der künstlerischen Impulse wieder zu finden, um die Kunst Giottos in ihrer Vollendung, selbst noch durch die so schwer verletzte Oberhaut dieser Denkmäler, in ihrer Größe zu erfassen. Es verbietet schon der engbegrenzte Raum dieser Blätter, das Ganze und das Einzelne von neuem auszudeuten.

Man hat sich auch in S. Croce über das zeitliche Verhältnis der beiden Kapellen zueinander Gedanken gemacht, bald für die eine, bald für die andere als die reifere Leistung eine Lanze gebrochen. Der traurige Zustand der Gemälde mahnt zur Vorsicht. Zu sehr in das Einzelne zu gehen, führt unweigerlich auf haltlosen Boden, denn seit der Wiederherstellung hat die Zeit viel getan, um Echtes und Unechtes miteinander zu verschmelzen. Wir kämen in die Gefahr, Herrn Marini zu bewundern und Giotto zu meinen. Also gestehen wir ehrlich, daß wir über die zeitliche Entfernung beider Gemäldefolgen nicht viel zu sagen vermögen, vielleicht dies, daß, wenn ein Unterschied erkennbar sei, er nicht allzu groß erscheine. Man darf beide Bilderreihen zusammennehmen, ohne fürchten zu müssen, der Erkenntnis neuer fruchtbarer Wandlung Giottos verlustig zu gehen.

Was in Padua noch Unsicheres und Tastendes war, ist in S. Croce (Abb. S. 124 ff., 131 ff.) abgestreift. Der Suchende hat sich selbst, hat eine breite, gefestigte Meisterschaft ganz gefunden. Man sieht es zuerst an der Sicherheit des Raumgefühles, an dem gesteigerten Empfinden für den architektonischen Körper. Die Gruppe hat als Raumgebilde volle Freiheit erlangt. Es ist nun wirklich so, daß jede der durch ihr erfülltes Dasein machtvollen Gestalten ihren Aktionsraum besitzt. Die Art, ein Bild aufzubauen, hat das Mühelose, das Selbstverständliche, das Notwendige, über das nur verfügt, wer nicht mehr um seine künstlerischen Ausdrucksmittel zu ringen braucht, der sie als Reichtum in sich trägt und sich königlich verschenken kann. An der Vergleichung mit Padua, an dem unaustilgbaren Gegensatz zu den thematisch verwandten Darstellungen in der Oberkirche zu Assisi muß Giotto in S. Croce begriffen werden. Man soll die Erscheinung in Arles (Abb. S. 133) neben das Abendmahl in Padua (Abb. S. 45) stellen, um zu sehen, wie der reife Giotto den Raum beherrscht. Man soll den Tod des hl. Franz (Abb. S. 134) betrachten, um die Freiheit der Gruppenfügung, die Giotto erreicht, richtig zu werten. Man soll die Gestalt des aufschwebenden Johannes (Abb. S. 129) auf sich wirken lassen, um inne zu werden, wie der Meister das Wunder vollbringt, den lebendigen Körper das Gesetz der Schwere verneinen zu lassen. Der Gestaltungswille in der Architektur ist entsprechend dem großen Bausinn, den Giotto in Padua offenbart, vertieft und bereichert, und seine Menschen leben, im ganzen genommen, natürlich darin, wenn man das Auge von den konventionellen Vorstellungen der Perspektive erst einmal losmacht. Es ist auch gut, die Beobachtung nicht zu unterlassen, daß ausgesprochen gotische Architekturformen an Giottos Gebäuden in S. Croce kaum vorkommen, ganz wie in Padua. Noch herrscht der Rundbogen, und das architektonische Bewußtsein, das diese Bauten hingestellt hat, darf man nicht gotisch nennen. Noch reiner und gewaltiger als in der Madonna aus Ognissanti spricht die Gemessenheit, die Ruhe aller Gestalten zum Beschauer. Keine hat ihr Innenleben eingebüßt, aber das Ungestüm des hervorbrechenden Gefühls ist zu einer Gelassenheit gesteigert und verklärt, die tiefer, lebensvoller ist, als die vielbewunderten Zeugnisse der Ausdrucksgebärde, an denen man sich in Padua nicht satt sehen konnte. Darum findet auch, was wir in der Arena das Epische nannten, in S. Croce eine Auswirkung, die den Bildern ein Letztes an großer Monumentalität mitgibt. Giotto wird hier so frei, daß er dekorativen Reizen der Flächenfüllung nachgeben kann (Abb. S. 127), ohne die monumentale Gesinnung zu verleugnen. Auch wer in

Paris, Louvre

Zeichnung Michelangelos nach der Himmelfahrt des Johannes in Sta. Croce zu Florenz
(vgl. Abb. S. 129)

S. Croce sehr vorsichtig und bedenklich ist, wird nicht sagen wollen, daß mit solchen Worten über die Bedeutung der Fresken mehr ausgesprochen werde, als man in Ansehung ihres schlechten Erhaltungszustandes sagen kann.

Von dem, was Giotto nach S. Croce noch gemalt hat, ist uns nichts erhalten geblieben. Wir wissen nicht, wie die späten Arbeiten in Neapel ausgesehen haben, aber wir meinen im Rechte zu sein, wenn wir glauben, daß der Künstler in den beiden Kapellen seinen Zenit erreichte. Mag er in Einzelheiten die Kraft zu neuem Fortschreiten gefunden haben, im ganzen genommen sieht, was wir in S. Croce besitzen, so aus, als sei es die Erfüllung von dem, was Padua versprach, eine große Erfüllung, die eine Art Endpunkt bedeutet. Wenn es wahr ist, daß die bekannte Federzeichnung nach der Himmelfahrt des Johannes (Abb. S. LIII) eine Studie (und zwar die früheste) von der Hand Michelangelos ist, so beweist sie, daß dieser große und tiefe Geist an der Kraft eines Ebenbürtigen sein Wollen stählte. Wir dürfen daraus lernen, daß wir nicht in der Irre sind, wenn wir in Giotto, wenn wir in S. Croce den Gipfel einer Epoche bewundern.

Es ist ein schmerzlicher Verlust, daß uns von Giottos Tafelbildern außer der großen Madonna kein Stück mehr erhalten ist, in dem wir seine eigene Hand noch erkennen könnten. Mehrere Bilder sind vorhanden, die seinen Namen in ihrer Signatur tragen. Die Bezeichnung ist da entweder Werkstattmarke oder später nachgetragen, als man sich wieder auf Giottos Ruhm besann. Die Stigmatisation des heiligen Franz im Louvre kann nicht als eigenhändig gelten (Abb. S. 184). Sie ist abhängig von den Fresken der Oberkirche in Assisi, was nicht weiter verwunderlich sein kann, da wir Giottos Schüler lange in der Unterkirche an der Arbeit sehen. Aber sie berechtigt nicht, Giotto selbst in der Oberkirche wieder finden zu dürfen. Auch ein zierliches Madonnenaltärchen in der Pinakothek zu Bologna hat eine Giotto-Signatur (Abb. S. 206). Es ist dem Meister ganz fern und steht heute nur noch da als ein Rest der Tätigkeit Giottos (oder seiner Schule) in Bologna, wofür sich eine Tradition erhalten hat. Signiert ist auch eine Krönung Mariae, die nach Vasari ehemals auf dem Altar der Cappella Baroncelli in S. Croce stand (Abb. S. 200 ff.). Man kann darin nur ein spätes Schulwerk sehen, dessen Beziehungen zu Taddeo Gaddi kaum zu leugnen sind.

Ein beliebter und weitverbreiteter Vorwurf der italienischen Tafelmalerei ist schon seit dem zwölften Jahrhundert die meist lebensgroße oder auch überlebensgroße Darstellung des Gekreuzigten. Im dreizehnten Jahrhundert pflegte man neben den Rumpf des anfangs mit geöffneten Augen, später als tot dargestellten Heilandes in kleinen Bildern übereinander Szenen aus dem Leben Jesu, besonders aus der Leidensgeschichte zu malen, doch kommen auch Kreuze ohne diese seitlichen Bilder vor. Die oberen Endigungen bekamen quadratische, rechteckige, später vierpaßförmige Ausladungen. Über dem INRI finden sich häufig in diesen Tafeln die Halbfigur Gottvaters, auch der Pelikan, an den Enden der Seitenarme Christusszenen oder die klagenden Halbfiguren des Johannes und der Maria. Diese großen Kruzifixe sind bis weit in das Trecento hinein in dieser Art gemalt worden, in Pisa, Florenz und anderswo häufig, in Siena selten, weil hier das Madonnenbild beherrschend blieb. Auch aus dem Kreise Giottos gibt es eine ganze Reihe solcher Kruzifixe; am nächsten steht ihm das sehr feine aber schwer beschädigte Stück in der Sakristei der Arena (Abb. S. 188 ff.). Man kann es eine Kopie nach dem Christus des Kreuzigungsfreskos ebendort nennen (Abb. S. 59). Giottos eigene Hand darin zu finden, ist nicht möglich. Es muß verhältnismäßig spät entstanden sein, worauf schon die reiche Gestalt des Rahmens deutet. Andere verwandte Stücke können ihre Abkunft von diesem Kruzifix bzw. von dem Kreuzigungsfresko nicht verleugnen (Abb. S. 213—215). Eine Folge sechs kleiner Bilder aus dem Leben Jesu (Abb. S. 207—210) kann man einem unbekannten Meister zuschreiben, von dessen Hand der neuerdings vielbesprochene Stephanus der Fondazione Horne (Abb. S. 205) stammt. Die Madonna der Sammlung Goldman (Abb. S. 204) ist das Mittelstück eines verstreuten Altares, zu dem der Stephanus einen linken Flügel bildete. Der Maler dieser Gruppe ist ein sehr liebenswürdiger, zartempfindender Schüler Giottos, dessen „Werk" sich gewiß noch wird vergrößern lassen. Fast alle hier genannten Bilder haben einmal für eigenhändige Arbeiten Giottos gegolten; sie sind es nicht, aber sie haben ihre Wichtigkeit als Zeugen dafür, wie die hoheitsvolle Strenge seines Stils durch die verschiedensten Temperamente abgewandelt, einem neuen Geschlecht mundgerecht gemacht wird. Dies Geschlecht ist gewiß liebenswert, aber sehr viel leichter, viel weniger tief als jene Generation, die einen Duccio, die auch noch einen Giotto aus sich erzeugte.

Von seinen Lebensschicksalen wissen wir nur wenig, das wirklich sicher wäre. Jede urkundliche Notiz ist darum wertvoll. Was wir haben, wurde meist aus Florentiner notariellen Instrumenten geschöpft und bezieht sich deshalb gewöhnlich auf Rechtsgeschäfte, also Verpachtungen, Grundstücksverkäufe und dergleichen. Damit wird Giottos Anwesenheit in Florenz auf gewisse Jahre festgelegt. Wir finden ihn 1321, 1322, 1324, 1325, 1326 in seiner Heimatstadt. 1330 wird er von König Robert von Neapel zum Familiaris ernannt und mag damals bereits längere Zeit in Neapel gelebt haben. Noch bis 1333 läßt er sich dort urkundlich nachweisen. Er muß eine Vertrauensstellung bei Hofe gehabt haben und wird einmal „Erster Hofmaler und unser Lieber, Getreuer" genannt. Giotto leitetete damals die Ausmalung der großen Kapelle im Castello Nuovo und beschäftigte dabei zahlreiche Schüler. Ghiberti sagt jedoch, er habe im Castello d'Uovo gearbeitet; wenn hier nicht ein Irrtum vorliegt, hätte er in beiden Schlössern sich betätigt. Nach Ghiberti malte Giotto für den König Robert eine Reihe Bildnisfiguren berühmter Männer in einem großen Saale, dessen Lage aber nicht näher bezeichnet wird. In der 1328 fertig gewordenen, von Robert erbauten Klosterkirche S. Chiara soll Giotto, so berichtet Vasari, einige Kapellen mit Geschichten aus dem Neuen und Alten Testament ausgemalt haben. Auch eine apokalyptische Darstellung erwähnt der Aretiner und gibt an, ihr habe ein Gedanke Dantes zugrunde gelegen. Diese Gemälde ließ man im Anfang des achtzehnten Jahrhunderts unter barockem Stuck verschwinden und auch sonst ist von dieser reichen Tätigkeit Giottos in Neapel nichts erhalten geblieben. Wenn es heißt, daß er auch in Ravenna, in Mailand und an anderen Orten noch gemalt habe, so fehlt dafür die urkundliche Sicherheit. Teils mögen Denkmäler von der Hand entfernterer Schüler die Veranlassung gewesen sein, Giotto selbst in diesen Städten verweilen zu lassen, teils spiegelt sich in solchen Angaben die Erinnerung an die ausgebreiteten Unternehmungen des Künstlers. An sich wird man ihnen die Wahrscheinlichkeit nicht absprechen.

In Florenz begegnen wir dem Künstler 1334 wieder, die Stadt ernennt ihren über Italien hin berühmten Sohn am 12. April dieses Jahres zum Hauptbaumeister der Dombauhütte und zu ihrem ersten Baubeamten, dessen Obhut die Mauern und Befestigungen anvertraut waren. Nichts beweist deutlicher die hohe Schätzung, die man dem Künstler entgegen brachte. Der Dombau war für die Stadtrepubliken Italiens nicht nur eine religiöse Angelegenheit; in ihm sollten sich Macht und Reichtum des Gemeinwesens als in einem hochgeweihten Symbol glanzvoll verkörpern. An die Spitze dieses bedeutsamen Unter-

nehmens stellte man den größten Mann, den Florenz auf dem Felde der bildenden Kunst besaß, in seine Hände konnte man auch vertrauensvoll die Sorge um die Instandhaltung des Mauerringes legen. Wahrscheinlich handelt es sich hier aber doch mehr um eine repräsentative Stellung, nur um die oberste Leitung, der jüngere, technisch gebildete Kräfte zur Ausführung der Arbeiten zur Verfügung standen.

Während Giottos Amtszeit als Dombaumeister wurde am 18. Juli 1334 der Grundstein zum Campanile gelegt. Wenngleich wir bei Giotto so großes architektonisches Verständnis gefunden haben, läßt sich aus diesen Tatsachen doch nichts Sicheres darüber schließen, ob der Künstler als ausführender, praktischer Architekt tätig war. Ghiberti behauptet sogar, Giotto habe die ersten Reliefs am Campanile nicht nur entworfen sondern auch selbst in Stein gehauen. Wir können das nicht beweisen. Die Reliefs sprechen dagegen (Abb. S. 216 ff). Die Florentiner nennen auch heute noch den Glockenturm des Domes den Campanile di Giotto. Man läßt es gelten und grüßt im Lärm

· PICTORVM · EXIMIVS ·
· · IOTTVS · FVNNAMENTVM · ET ·

Bildnis Giottos von Benozzo Gozzoli
in S. Francesco zu Montefalco

des Tages wie etwas heimlich Vertrautes das edle Bauwerk, weil es von diesem teuren Namen umschwebt wird. Am 8. Januar 1337 ist Giotto gestorben, er wurde unter hohen Ehrungen im Dom S. Reparata, wie das Gotteshaus damals hieß, beigesetzt. Die Stätte kennen wir nicht. Als Lorenzo il Magnifico 1490 dem Künstler das Denkmal setzen ließ (vgl. das Titelbild), das wir noch heute im Dom besuchen können, war es die Gebärde eines feinen hochgebildeten Geistes, die ein sichtbares Zeichen dafür hinstellen wollte, daß eine innerlich tiefbewegte Zeit sich ihrer großen Vergangenheit bewußt sei.

Es mag allzu kühn sein, mit wenig Worten sagen zu wollen, wie Giottos Riesengestalt gegen die künstlerischen Strömungen seiner Zeit steht. Er, der Erfolgreiche, hat gewiß die tiefe Freude über die Anerkennung der Mitlebenden genossen. Aber der Beifall summt uns aus der Entfernung der Jahrhunderte nicht freundlich in die Ohren. Es war der Beifall des rasch hineilenden Tages. Das Größere blieb dem Meister versagt, wahrhaft verstanden zu werden. Es ist mehr als nur ein gefühlvolles Wort, er habe das Schicksal der Großen geteilt, einsam in seiner Zeit zu stehen. Wie ein Komet zog er einen unübersehbaren Schwarm kleiner und kleinster Gestirne hinter sich her. Doch hat er in keinen seiner Schüler einen neuen Stern hineingebären können, der ihm selbst an Reichtum und Lichtstärke nur entfernt ebenbürtig wäre. Die breite Wirkung der Madonna aus Ognissanti lehrt, daß immer nur das Äußerliche begriffen wurde. Giotto ist überzeitlich. Der Strom des neuen Erlebens geht in Italien von Süden nach Norden, Sammelbecken sind Neapel, Rom, Siena, dann Florenz. Die eindrucksfähigen Sienesen haben rasch verstanden, was die Zeit wollte und haben es ausgewertet. Giotto ist wahrlich nicht unberührt von dem Neuen, aber er hat herrisch gewählt und mehr an sich selbst als an die Zeit geglaubt. So steht er abseits, ein Einmaliger, Einziger, der die Größe des Jahrhunderts, das ihn gebar, in sich erhöhte und vollendete und, ein Erneuerer, seinen Anker weit in die Zukunft voraus warf.

GIOTTOS WERKE

THE WORKS OF GIOTTO   LES ŒUVRES DE GIOTTO

H. = Höhe, B. = Breite in Metern. Ein * verweist auf die Erläuterungen S. 219
H. = Height, B. = Width, noted in meters. * = see the „Erläuterungen" p. 219
H. = Hauteur, B. = Largeur, indiquée en mètres. * = voyez les „Erläuterungen" p. 219

ROM

Mosaik

La Navicella

Die Navicella

The Navicella

*Rom, St. Peter, Vorhalle

DIE FRESKEN DER CAPPELLA DELL' ARENA ZU PADUA

ZWISCHEN 1303 UND 1306

THE FRESCOES OF THE CHAPEL DELL' ARENA AT PADUA

BETWEEN 1303 AND 1306

LES FRESQUES DE LA CHAPELLE DEL' ARÉNA À PADOUE

ENTRE 1303 ET 1306

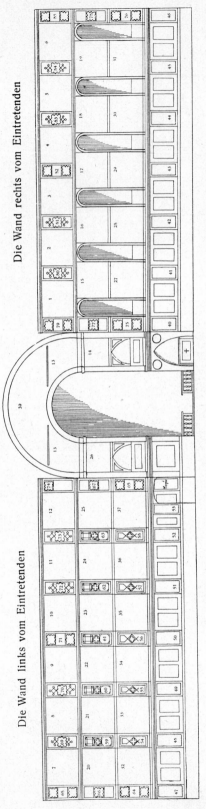

Die Wand rechts vom Eintretenden

Die Wand links vom Eintretenden

Schematische Darstellung der Wandgemälde Giottos in der Chiesa dell' Arena zu Padua

Die Eingangswand mit dem Jüngsten Gericht — Nr. 38 der hier angewendeten Zählung — ist fortgelassen. Die beiden Seitenwände sind schematisch auf gemeinsame Grundlinie mit der Triumphbogenwand und in deren Ebene gebracht. Die Zählung des Schemas ist unter den Abbildungen wiederholt.

Nr. 1—6. Die Geschichte von Joachim und Anna

  1. Joachims Opfer wird zurückgewiesen
  2. Joachim kommt zu seinen Hirten
  3. Der hl. Anna wird die Geburt Mariae verkündigt
  4. Joachims Opfer
  5. Joachims Traum
  6. Joachim u. Anna begegnen einander an der goldenen Pforte Jerusalems

Nr. 7—12. Die Jugendgeschichte der Maria

  7. Die Geburt der Maria
  8. Die heilige Anna bringt Maria zum Tempel (Tempelgang Mariae)
  9. Die Freier bringen ihre Stäbe zum Tempel
  10. Die Freier erwarten das wunderbare Ergrünen der Stäbe
  11. Die Vermählung Mariae mit Joseph
  12. Der Hochzeitszug der Maria
  13. Mariae Verkündigung (1. Engel, 2. Maria)
  14. Mariae Heimsuchung

Nr. 15—19. Die Kindheitsgeschichte Jesu

  15. Geburt Christi
  16. Anbetung der heiligen drei Könige
  17. Darstellung im Tempel
  18. Die Flucht nach Ägypten
  19. Der bethlehemitische Kindermord

Nr. 20—25. Die öffentliche Wirksamkeit Jesu

  20. Der zwölfjährige Jesus im Tempel
  21. Die Taufe Christi im Jordan
  22. Die Hochzeit zu Kanaa
  23. Die Auferweckung des Lazarus
  24. Der Einzug in Jerusalem
  25. Jesus vertreibt die Wechsler und Händler aus dem Tempel
  26. Judas Ischarioth wird um dreißig Silberlinge gekauft

Nr. 27—31. Jesu Abschied und Leiden

  27. Das Abendmahl
  28. Die Fußwaschung

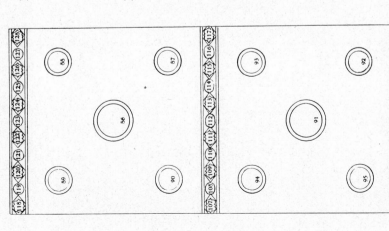

Triumphbogenwand

Eingangswand

Das Tonnengewölbe

links

rechts

Padua. Cappella dell' Arena
Blick nach der Tribuna

Padua. Cappella dell' Arena
View to the tribune

Padoue. Chapelle de l'Aréna
Vue vers la tribune

Padua. Cappella dell' Arena
Blick nach der Eingangswand

Padua. Cappella dell'Arena
View to the entrance

Padoue. Chapelle de l'Aréna
Vue vers l'entrée

1* Joachims Opfer wird zurückgewiesen

Le sacrifice de Joachim refusé

Joachim's sacrifice refused

Joachim retires his shepherds

2*. Joachim kommt zu seinen Hirten

Joachim chez ses pâtres

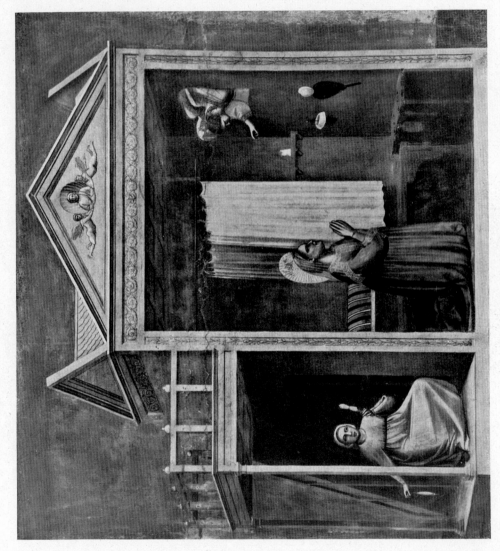

3*. Der heiligen Anna wird die Geburt Marias verkündigt   L'annonciation à Ste. Anne

The annunciation to St. Anna

Joachim's sacrifice   4. Joachims Opfer   Le sacrifice de Joachim

Joachim's dream   5*. Joachims Traum   Le songe de Joachim

6*. Joachim und Anna begegnen einander an der goldenen Pforte Jerusalems
The meeting of Joachim and St. Anna
at the golden gate of Jerusalem
Le rencontre de Joachim et St. Anne
à la Porte Dorée de Jérusalem

11

6. Joachim und Anna begegnen einander an der goldenen Pforte Jerusalems
The meeting of Joachim and St. Anna   (Ausschnitt)   Le rencontre de Joachim et St. Anne
at the golden gate of Jerusalem   à la Porte Dorée de Jérusalem
(Detail)   (Détail)

The nativity of the Virgin   7*. Die Geburt der Maria   La naissance de la Vierge

8*. Die heilige Anna bringt Maria zum Tempel
(Tempelgang Mariä)

The presentation of the Virgin in the temple   La présentation de la Vierge au temple

14

8. Die heilige Anna bringt Maria zum Tempel
(Ausschnitt)

The presentation of the Virgin in the temple
(Detail)

La présentation de la Vierge au temple
(Détail)

9*. Die Freier bringen ihre Stäbe zum Tempel

The wooers bring their rods to the temple   Les prétendants apportent les verges au temple

10. Die Freier erwarten das wunderbare Ergrünen der Stäbe
The praying of the wooers
La prière des prétendants

17

The marriage of the Virgin   11*. Die Vermählung Mariä mit Joseph   La mariage de la Vierge

11. Die Vermählung Mariä mit Joseph

The marriage of the Virgin   (Ausschnitt)   Le mariage de la Vierge
(Detail)   (Détail)

The wedding-feast   12*. Der Hochzeitszug der Maria   Le cortège de noces

13*. Mariä Verkündigung. 39*. Gottvater von Engeln umgeben
L'annonciation. Dieu le Père entouré d'anges
The annunciation. Godfather surrounded by angels

13. Mariä Verkündigung

The annunciation   (Ausschnitt: der Engel Gabriel)   L'annonciation
(Detail: the angel Gabriel)   (Détail: l'ange Gabriel)

13. Mariä Verkündigung
(Ausschnitt: Maria)

The annunciation
(Detail: the Virgin)

L'annonciation
(Détail: la Vierge)

14*. Mariä Heimsuchung

The visitation   La visitation

24

15*. Geburt Christi

The nativity   La nativité

16*. Anbetung der heiligen drei Könige

The adoration of the magi   L'adoration des mages

16. Anbetung der heiligen drei Könige

The adoration of the magi
(Detail)

(Ausschnitt)

L'adoration des mages
(Détail)

17*. Darstellung im Tempel

The presentation in the temple   La présentation au temple

17. Darstellung im Tempel
(Ausschnitt: Simeon mit dem Jesuskinde)

The presentation in the temple   La présentation au temple
(Detail: Simeon and the child Jesus)   (Détail: Siméon et l'Enfant Jésus)

18*. Die Flucht nach Agypten

The flight into Egypt   La fuite en Égypte

18. Die Flucht nach Ägypten

The flight into Egypt
(Detail)

(Ausschnitt)

La fuite en Égypte
(Détail)

19*. Der bethlehemitische Kindermord

The massacre of the innocents   Le massacre des innocents

19. Der bethlehemitische Kindermord

The massacre of the innocents   (Ausschnitt)   Le massacre des innocents
(Detail)   (Détail)

33

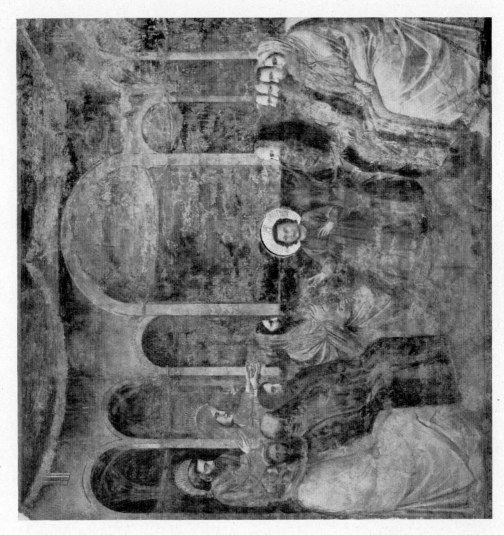

20*. Der zwölfjährige Jesus im Tempel
Le jeune Christ et les docteurs au temple

The young Christ in the temple

The baptism of Christ

21. Die Taufe Christi im Jordan

Le baptême de Jésus Christ

21. Die Taufe Christi im Jordan

The baptism of Christ
(Detail)

(Ausschnitt)

Le baptême de Jésus Christ
(Détail)

22*. Die Hochzeit zu Kana

The marriage at Cana   Les noces de Cana

22. Die Hochzeit zu Kana

The marriage at Cana   (Ausschnitt)   Les noces de Cana
(Detail)   (Détail)

The raising of Lazarus   23*. Die Auferweckung des Lazarus   La résurrection de Lazare

23. Die Auferweckung des Lazarus

The raising of Lazarus
(Detail)

(Ausschnitt)

La résurrection de Lazare
(Détail)

The entry into Jerusalem   24*. Der Einzug in Jerusalem   L'entrée à Jérusalem

25*. Jesus vertreibt die Wechsler und Händler aus dem Tempel
Christ expelling the merchants from the temple
Jésus-Christ chassant les marchands du temple

25. Jesus vertreibt die Wechsler und Händler aus dem Tempel
(Ausschnitt)

Christ expelling the merchants from the temple
(Detail)

Jésus Christ chassant les marchands du temple
(Détail)

26*. Judas Ischarioth wird um dreißig Silberlinge gekauft

The hiring of Judas   La trahison de Judas

44

27*. Das Abendmahl

The last supper   La cène

27 *. Das Abendmahl
(Ausschnitt: Jesus, Petrus, Judas und Johannes)

The last supper

(Detail: Jesus, St. Peter, Judas and St. John)

La cène

(Détail: Jésus Christ, St. Pierre, Judas et St. Jean)

28*. Die Fußwaschung

The washing of the feet   Le lavement des pieds

28. Die Fußwaschung
(Ausschnitt)

The washing of the feet
(Detail)

Le lavement des pieds
(Détail)

28. Die Fußwaschung

The washing of the feet
(Detail: St. Andrew)

(Ausschnitt: der heilige Andreas

Le lavement des pieds
(Détail: St. André)

29*. Jesu Gefangennahme in Gethsemane

Judas kissing the lord   Le baiser de Judas

29. Jesu Gefangennahme in Gethsemane

Judas kissing the lord   (Ausschnitt)   Le baiser de Judas
(Detail)   (Détail)

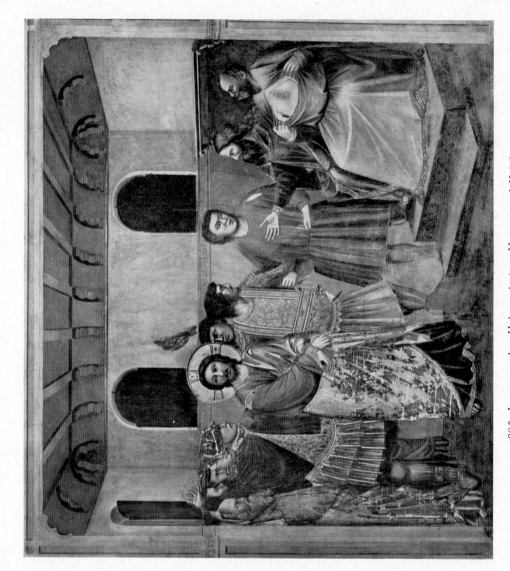

30*. Jesus vor den Hohenpriestern Hannas und Kaiphas
Christ before Annas and Caiaphas
Jésus-Christ devant Annas et Caipha

30. Jesus vor den Hohenpriestern Hannas und Kaiphas

Christ before Annas and Caiaphas   (Ausschnitt)   Jésus Christ devant Annas et Caipha
(Detail)   (Détail)

The scourging of Christ   31. Die Verspottung Christi   Le Christ insulté

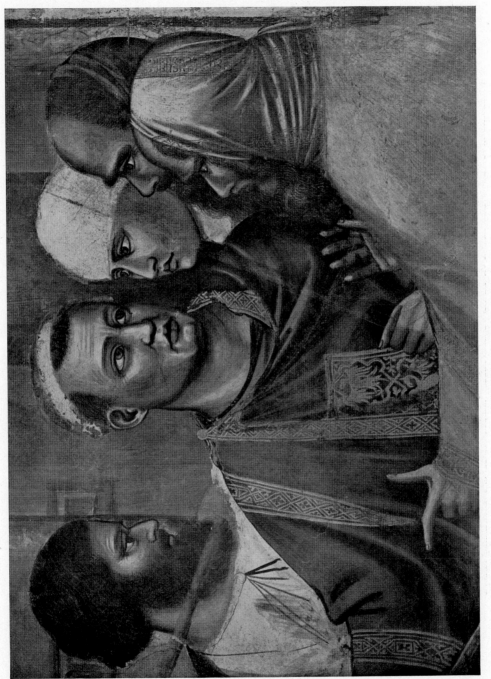

The scourging of Christ
(Detail: Pontius Pilate)

31. Die Verspottung Christi
(Ausschnitt: Pilatus)

Le Christ insulté
(Détail: Ponce Pilate)

55

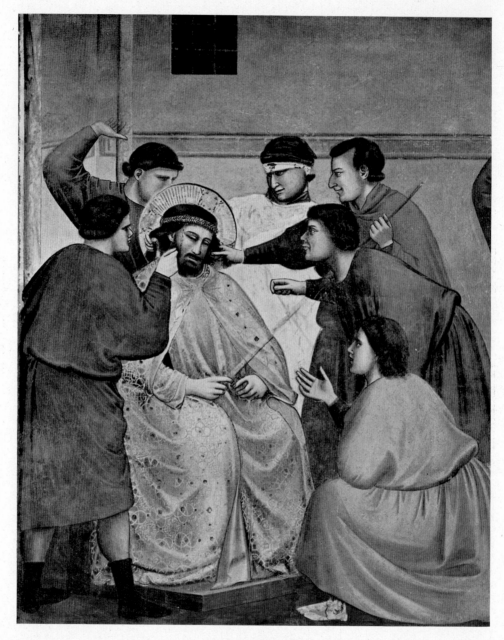

The scourging of Christ
(Detail)

31. Die Verspottung Christi
(Ausschnitt)

Le Christ insulté
(Détail)

31. Die Verspottung Christi
(Ausschnitt)

The scourging of Christ
(Detail)

Le Christ insulté
(Détail)

Christ bearing the cross   32 *. Jesus trägt das Kreuz   Le Christ porte la croix

The crucifixion 33 *. Die Kreuzigung Le crucifiement

33. Die Kreuzigung
(Ausschnitt: Magdalena)

The crucifixion
(Detail: St. Magdalen)

Le crucifiement
(Détail: Ste. Madeleine)

33. Die Kreuzigung
(Ausschnitt)

The crucifixion
(Detail)

Le crucifiement
(Détail)

Giotto 5

The lamentation for Christ   34*. Die Beweinung Christi

Jésus Christ pleuré par les siens

34. Die Beweinung Christi
(Ausschnitt)

The lamentation for Christ
(Detail)

Jésus Christ pleuré par les siens
(Détail)

The lamentation for Christ
(Detail)

34. Die Beweinung Christi
(Ausschnitt: Klagende Engel)

Jésus Christ pleuré par les siens
(Détail)

The lamentation for Christ

34. Die Beweinung Christi
(Ausschnitt: Maria)

Jésus Christ pleuré par les siens

35*. Die Engel am leeren Grabe und das Noli me tangere

The angels on the sepulchre
and the Noli me tangere

Les anges au tombeau
et le Noli me tangere

Noli me tangere
(Detail: St. Magdalen)

35. Noli me tangere
(Ausschnitt: Magdalena)

Noli me tangere
(Détail: Ste. Madeleine)

The ascension

36*. Die Himmelfahrt Christi

L'ascension

36. Die Himmelfahrt Christi
(Ausschnitt)

The ascension
(Detail)

L'ascension
(Détail)

36. Die Himmelfahrt Christi

The ascension   (Ausschnitt: Maria)   L'ascension
(Detail: Maria)   (Détail: La Vierge)

37*. Die Ausgießung des heiligen Geistes

The descent of the Holy Spirit

La descente du St. Esprit

38*. Das Jüngste Gericht (Tafel 78/79)

The last judgment   (Ausschnitt: Der letzte Richter)   Le jugement dernier
(Detail: Christ as Divine Judge)   (Détail: Le Christ en juge suprème)

38. Das Jüngste Gericht (Tafel 78/79)
(Ausschnitt)   Le jugement dernier
(Détail)

The last judgment
(Detail)

38. Das Jüngste Gericht (Tafel 78/79)
(Ausschnitt)   Le jugement dernier
(Détail)

The last judgment
(Detail)

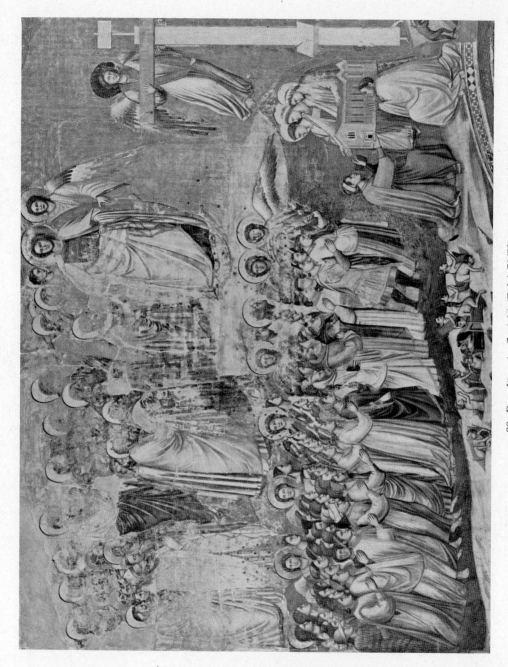

38. Das Jüngste Gericht (Tafel 78/79)
(Ausschnitt: Die Heiligen und die Seligen)

Le jugement dernier
(Détail: Les saints et les bienheureux)

The last judgment
(Detail: The saints and the beatifieds)

38. Das Jüngste Gericht (Tafel 78/79)

The last judgment (Ausschnitt: Maria, die Mittlerin) Le jugement dernier
(Detail: The virgin) (Détail: La vierge)

38. Das Jüngste Gericht (Tafel 78/79)
(Ausschnitt: Der letzte Richter)

The last judgment
(Detail: Christ as Divine Judge)

Le jugement dernier
(Détail: Le Christ en juge suprême)

38. Das Jüngste Gericht (Tafel 78/79)
(Ausschnitt: Maria)

The last judgment
(Detail: The virgin)

Le jugement dernier
(Détail: La vierge)

75

38. Das Jüngste Gericht (Tafel 78/79)
(Ausschnitt: Die Seligen)

The last judgment
(Detail: The beatifieds)

Le jugement dernier
(Détail: Les bienheureux)

38. Das Jüngste Gericht (Tafel 78/79)
(Ausschnitt: Die Seligen)

The last judgment
(Detail: The beatifieds)

Le jugement dernier
(Détail: Les bienheureux)

38. Das Jüngste Gericht (Tafel 78/79)

(Ausschnitt: Die Seligen)

The last judgment
(Detail: The beatifieds)

Le jugement dernier
(Détail: Les bienheureux)

38. Das Jüngste Gericht (Tafel 78/79)
(Ausschnitt: Maria Annunziata zwischen Gabriel und einer Heiligen)
The last judgment
Le jugement dernier
(Detail: Maria Annunziata between Gabriel and a female saint)   (Détail: Maria Annunziata, entre Gabriel et une sainte)

38*. Das Jüngste Gericht

The last judgment   Le jugement dernier

38. Das Jüngste Gericht (Tafel 78/79)
(Ausschnitt: Enrico Scrovegni weiht das Modell der Arenakapelle der Maria Annunziata)

The last judgment   Le jugement dernier
(Detail: Enrico Scrovegni presents the model of the   (Détail: Enrico Scrovegni présente le modèle de la
Capella dell' Arena to the Virgin)   Capella dell' Arena à la Ste. Vierge)

38. Das Jüngste Gericht (Tafel 78/79)
(Ausschnitt: Die Hölle)

Le jugement dernier
(Détail: L'enfer)

The last judgment
(Detail: The hell)

39. Gottvater von Engeln umgeben (Tafel 21)
(Ausschnitt: linke Seite)

God'father surrounded by angels
(Detail: left side)

Dieu le Père entouré d'anges
(Détail: partie gauche)

God'father surrounded by angels
(Detail: right side)

39. Gottvater von Engeln umgeben (Tafel 21)
(Ausschnitt: rechte Seite)

Dieu le Père entouré d'anges
(Détail: partie droite)

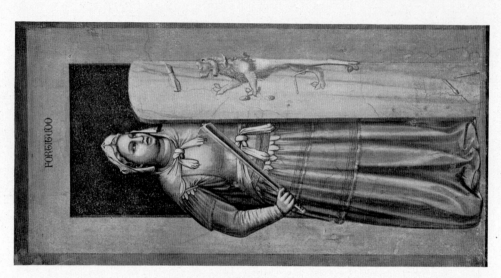

41*. Fortitudo

40*. Prudentia

84

43*. Justitia

42*. Temperantia

85

44*. Fides

45*. Caritas

86

47*. Desperatio

46*. Spes

49*. Infidelitas

48*. Invidia

51*. Ira

50*. Iniustitia

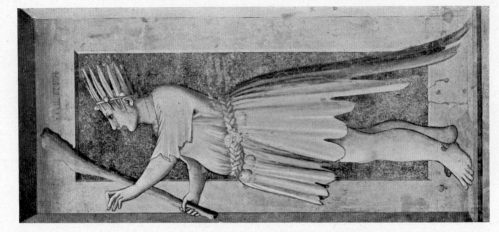

53*. Stultitia

52*. Inconstantia

54

55

54/55*. Dekorative Zwischenstücke der unteren Reihe (linke Wand)

Details of the decorative paintings;
bottom row of the left wall

Détails de la peinture décorative;
rang inférieur du mur gauche

56   57

56/57*. Dekorative Zwischenstücke der unteren Reihe (linke Wand)

Details of the decorative paintings;   Détails de la peinture décorative;
bottom row of the left wall   rang inférieur du mur gauche

58   59

58/59*. Dekorative Zwischenstücke der unteren und mittleren Reihe (linke Wand)

Details of the decorative paintings;   Détails de la peinture décorative;
bottom and middle row of the left wall   rang et de milieu inférieur du mur gauche

60 61

60/61*. Dekorative Zwischenstücke der mittleren Reihe (linke Wand)

| Details of the decorative paintings; middle row of the left wall | Détails de la peinture décorative; rang de milieu du mur gauche |

62   63

62—63*. Dekorative Zwischenstücke der mittleren Reihe (linke Wand)

Details of the decorative paintings;   Détails de la peinture décorative;
middle row of the left wall   rang de milieu du mur gauche

54

55

56

57   58

54—58*. Die Mittelfelder der dekorativen Zwischenstücke (untere Reihe der linken Wand)

54. Die eherne Schlange   55. Jonas, vom Walfisch verschlungen
56. Die Löwin und ihre Jungen   57. Elias auf dem feurigen Wagen
                    58. Moses erhält die Gesetzestafeln

Details of the decorative paintings;   Détails de la peinture décorative;
    bottom row of the left wall   rang inférieur du mur gauche

59

60

61

62

63

59—63 *. Die Mittelfelder der dekorativen Zwischenstücke (mittlere Reihe der linken Wand)

59. Die Beschneidung   60. Moses schlägt Wasser aus dem Felsen
61. Die Erschaffung Adams   62. Der Propheten Kinder gehen dem Elisa entgegen
63. Michaels Kampf gegen Satan

Details of the decorative paintings;   Détails de la peinture décorative;
middle row of the left wall   rang de milieu du mur gauche

64   65

64/65*. Dekorative Zwischenstücke der Eckgurten (untere Reihe der linken Wand)

64. Augustinus (?), darüber Johannes Ev.
65. Ambrosius (?), darüber Lukas

Details of the decorative paintings;   Détails de la peinture décorative;
bottom row of the left wall   rang inférieur du mur gauche

66   67

66/67 *. Dekorative Zwischenstücke der Eckgurten (mittlere Reihe der linken Wand)

Details of the decorative paintings;   Détails de la peinture décorative;
middle row of the left wall   rang de milieu du mur gauche

70

69

68

68—70*. Dekorative Zwischenstücke (obere Reihe der linken Wand)
Details of the decorative paintings — upper row of the left wall
Détails de la peinture décorative — le rang supérieur du mur gauche

100

73

72

71

71—73*. Dekorative Zwischenstücke (obere Reihe der linken Wand)

Details of the decorative paintings — upper row of the left wall   Détails de la peinture décorative — le rang supérieur du mur gauche

75   76

75/76*. Dekorative Zwischenstücke der Eckgurten (untere Reihe der rechten Wand)
75. Gregor, darüber Matthäus
76. Hieronymus, darüber Markus

Details of the decorative paintings;   Détails de la peinture décorative;
bottom row of the right wall   rang inférieur du mur droit

77   73

77/78*. Dekorative Zwischenstücke (mittlere Reihe der rechten Wand)
78. Die hl. Helena

Details of the decorative paintings;
middle row of the right wall

Détails de la peinture décorative;
rang de milieu du mur droit

103

79   80

79/80*. Dekorative Zwischenstücke (obere Reihe der rechten Wand)

Details of the decorative paintings;   Détails de la peinture décorative;
upper row of the right wall   rang supérieur du mur droit

86. Der segnende Christus

Christ blessing   Le Christ bénissant

88. Ein Prophet   Un prophète

A prophet

87. Johannes der Täufer   St. Jean Baptiste

St. John the Baptist

A prophet   89. Ein Prophet   Un prophète

A prophet   90. Ein Prophet   Un prophète

91. Maria mit dem Kinde

Maria with the child   La Vierge avec l'Enfant

93*. Der Prophet Baruch   Le prophète Baruch
The prophet Baruch

92*. Der Prophet Daniel   Le prophète Daniel
The prophet Daniel

111

95*. Der Prophet Jesaias   Le prophète Isaïe

The prophet Isaiah

94*. Der Prophet Maleachi   Le prophète Malachie

The prophet Malachi

112

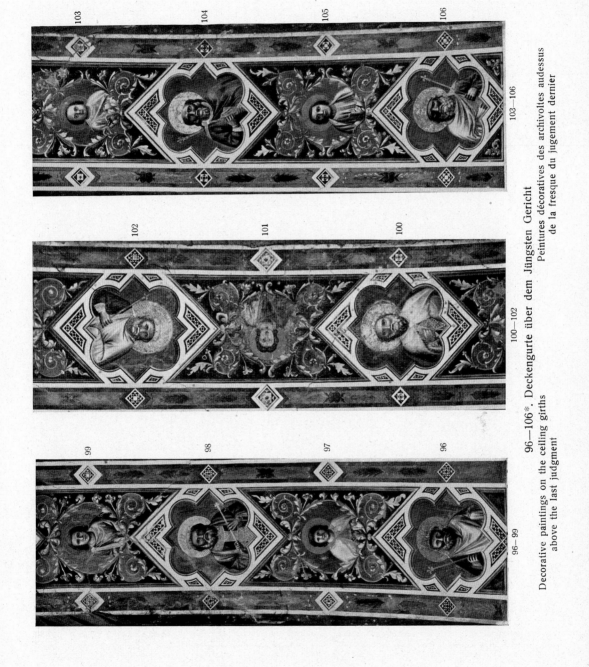

96—106*: Deckengurte über dem Jüngsten Gericht
Peintures décoratives des archivoltes audessus
de la fresque du jugement dernier

Decorative paintings on the ceiling girths
above the last judgment

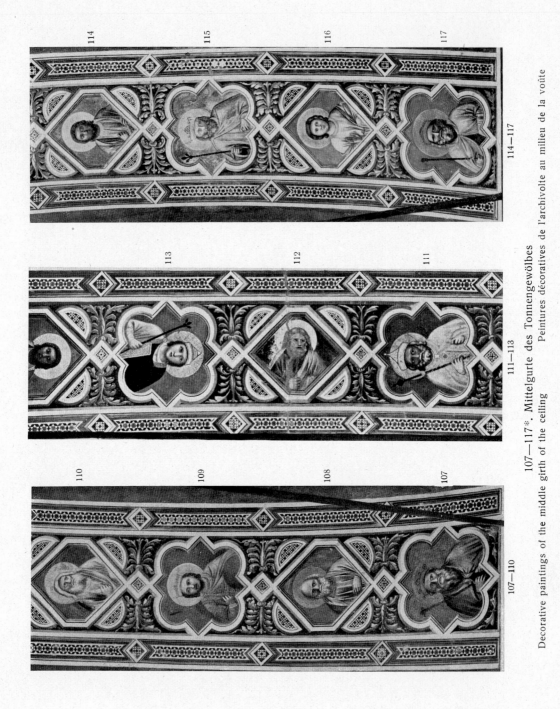

114 · 115 · 116 · 117

113 · 112 · 111

110 · 109 · 108 · 107

114—117

111—113

107—110

107—117*. Mittelgurte des Tonnengewölbes · Peintures décoratives de l'archivolte au milieu de la voûte

Decorative paintings of the middle girth of the ceiling

124

125

126

127

128

124—128*. Deckengurte über dem Triumphbogen

Decorative painting of the
ceiling girth above the
triumphal arch

Peinture décorative de
l'archivolte au dessus
de l'arc de triomphe

FLORENZ

DIE MADONNA AUS OGNISSANTI

(UFFIZIEN)

*Florenz, Uffizien   Auf Holz, H. 3,27, B. 2,03

Die Madonna mit Heiligen und Engeln, aus Ognissanti stammend

The holy Virgin with saints and angels,   Nach 1315   La Vierge avec des saints et des anges,
formerly in the church of Ognissanti   provenant de l'église d'Ognissanti

           After 1315   Après 1315

Florenz, Uffizien

Die Madonna mit Heiligen und Engeln, aus Ognissanti stammend

The holy Virgin with saints and angels, formerly in the church of Ognissanti After 1315 (Detail)	Nach 1315 (Ausschnitt)	La Vierge avec des saints et des anges, provenant de l'église d'Ognissanti Après 1315 (Détail)

Florenz, Uffizien

Die Madonna mit Heiligen und Engeln, aus Ognissanti stammend

The holy Virgin with saints and angels,	Nach 1315	La Vierge avec des saints et des anges,
formerly in the church of Ognissanti	(Ausschnitt)	provenant de l'église d'Ognissanti
After 1315		Après 1315
(Detail)		(Détail)

118

Die Madonna mit Heiligen und Engeln, aus Ognissanti stammend

The holy Virgin with saints and angels,   Nach 1315   La Vierge avec des saints et des anges,
formerly in the church of Ognissanti   (Ausschnitt)   provenant de l'église d'Ognissanti
After 1315   Après 1315
(Detail)   (Détail)

Die Madonna mit Heiligen und Engeln, aus Ognissanti stammend

| The holy Virgin with saints and angels, formerly in the church of Ognissanti
After 1315
(Detail) | Nach 1315
(Ausschnitt) | La Vierge avec des saints et des anges, provenant de l'église d'Ognissanti
Après 1315
(Détail) |

Die Madonna mit Heiligen und Engeln, aus Ognissanti stammend

The holy Virgin with saints and angels,   Nach 1315   La Vierge avec des saints et des anges,
formerly in the church of Ognissanti   (Ausschnitt)   provenant de l'église d'Ognissanti
After 1315   Après 1315
(Detail)   (Détail)

Die Madonna mit Heiligen und Engeln, aus Ognissanti stammend

The holy Virgin with saints and angels, formerly in the church of Ognissanti After 1315 (Detail)	Nach 1315 (Ausschnitt)	La Vierge avec des saints et des anges, provenant de l'église d'Ognissanti Après 1315 (Détail)

Florenz, Uffizien

Die Madonna mit Heiligen und Engeln, aus Ognissanti stammend

| The holy Virgin with saints and angels, formerly in the church of Ognissanti After 1315 (Detail) | Nach 1315 (Ausschnitt) | La Vierge avec des saints et des anges, provenant de l'église d'Ognissanti Après 1315 (Détail) |

123

DIE FRESKEN IN STA. CROCE ZU FLORENZ

THE FRESCOES IN THE CHURCH OF
SANTE CROCE AT FLORENCE

LES FRESQUES DE ST. CROCE
À FLORENCE

124

Zacharias in the temple
(Left wall)

Zacharias im Tempel
(Linke Wand, vom Eingang aus)

Zacharie au temple
(Mur gauche)

*Florenz, Sta. Croce, Cappella Peruzzi

Die Namengebung durch Zacharias. — Geburt Johannes des Täufers

Birth and Naming of St. John the Baptist (Linke Wand)
(Left wall)

Naissance de St. Jean Baptiste. — Zacharie lui donne son nom
(Mur gauche)

*Florenz, Sta. Croce, Cappella Peruzzi

Tanz der Salome
(Linke Wand)

Salome's dance
(Left wall)

La danse de Salome
(Mur gauche)

* Florenz, Sta. Croce, Cappella Peruzzi

St. John the evangelist at Patmos
(Right wall)

Johannes der Evangelist auf Patmos
(Rechte Wand)

St. Jean l'Evangéliste à Patmos
(Mur droit)

*Florenz, Sta. Croce, Cappella Peruzzi

Erweckung der Drusiana durch Johannes den Evangelisten
(Rechte Wand)

Resuscitation of Drusiana by St. John the Evangelist
(Right wall)

Resurrection de Drusiana par St. Jean l'Evangéliste
(Mur droit)

Ascension of St. John the Evangelist
(Right wall)

Himmelfahrt des Evangelisten Johannes
(Rechte Wand)

Ascension de St. Jean l'Evangéliste
(Mur droit)

Stigmatisation des heiligen Franz
(Über dem Eingang zur Cappella Bardi)

Stigmatization of St. Francis
(Above the entrance to the Cappella Bardi)

Stigmatisation de St. François
(Au dessus de l'entrée de la Cappella Bardi)

130

Das Gewölbe. In den Medaillons der heilige Franz und die Verkörperung der drei
Franziskaner-Gelübde

The Vaulting with the portrait of	Nach 1317	La voûte avec les médaillons montrant
St. Francis and the personifications		St. François et les personifications des
of the franciscan vows		voeux franciscains

*Florenz, Sta. Croce, Cappella Bardi

St. Francis renouncing his father
(Left wall)

Der heilige Franz sagt sich von seinem Vater los
(Linke Wand, vom Eingang aus)
Nach 1317

St. François quittant son père
(Mur gauche)

Die Erscheinung zu Arles
(Linke Wand)
Nach 1317

*Florenz, Sta. Croce, Cappella Bardi

Apparition at Arles
(Left wall)

L'apparition à Arles
(Mur gauche)

The death of St. Francis
(Left wall)

Der Tod des heiligen Franz
(Linke Wand)
Nach 1317

La mort de St. François
(Mur gauche)

* Florenz, Sta. Croce, Cappella Bardi

The death of St. Francis
(Detail)

Der Tod des heiligen Franz
(Ausschnitt)
Nach 1317

La mort de St. François
(Détail)

*Florenz, Sta. Croce, Cappella Bardi

Innocent III. sanctions the rules of the order
(Right wall)

Innozenz III. bestätigt die Ordensregel
(Rechte Wand)
Nach 1317

Innocent III approuvant la règle de l'ordre
(Mur droit)

*Florenz, Sta. Croce, Cappella Bardi

The fire ordeal before the Sultan
(Right wall)

Die Feuerprobe vor dem Sultan
(Rechte Wand)
Nach 1317

L'épreuve du feu devant le Sultan
(Mur droit)

*Florenz, Sta. Croce, Cappella Bardi

Die Vision des Bruders Augustinus und des Bischofs Guido von Assisi
(Rechte Wand)   Nach 1317

La vision de frère Augustin et de l'évêque Guido d'Assisi
(Mur droit)

The vision of brother Augustin and the bishop Guido of Assisi
(Right wall)

138

Die heilige Klara
(Fensterwand, unten links)   Nach 1317

St. Clara   Ste. Claire

Die heilige Elisabeth
(Fensterwand, unten rechts)

St. Elizabeth   Ste. Elisabeth

Der heilige Ludwig von Toulouse
(Fensterwand, oben links)
St. Louis of Toulouse   St. Louis de Toulouse

Der heilige Ludwig von Frankreich
Nach 1317   (Fensterwand, oben rechts)
St. Louis, King of France   St. Louis, Roi de France

BILDER DER WERKSTATT,

ZWEIFELHAFTE UND GIOTTO ZU UNRECHT ZUGESCHRIEBENE ARBEITEN

STUDIE-WORKS,

DUBIOUS AND FALSELY ATTRIBUTED
PICTURES

TRAVAUX D'ATELIER,

ŒUVRES DOUTEUSES OU FAUSSEMENT
ATTRIBUÉS À GIOTTO

FRESKEN

FRESCOES   FRESQUES

Bonifaz VIII. proklamiert das heilige Jahr

Boniface VIII. announces the Holy year   (Fragment)   Boniface VIII annonce l'Année Sainte
(Fragment; painted shortly after 1300)   Bald nach 1300   (Fragment; peu après l'an 1300)

FRESKEN DER OBERKIRCHE SAN FRANCESCO ZU ASSISI

S. FRANCESCO ASSISI
FRESCOES OF THE UPPER CHURCH

S. FRANCESCO ASSISI
FRESQUES DE L'ÉGLISE SUPÉRIEURE

Maria mit dem Kinde

The holy Virgin with the child   La Vierge avec l'enfant

1*. Ein Bürger von Assisi huldigt dem heiligen Franz
Un citoyen d'Assisi rendant hommage à St. François
St. Francis honoured by a citizen of Assisi

143

3*. Der Traum vom Palast

The Vision of the Palace   La Vision du palais

2*. Der heilige Franz schenkt seinen Mantel einem Armen

St. Francis gives his mantle to   St. François donnant son manteau
a poor man   à un pauvre

144

5*. Der heilige Franz sagt sich los von seinem Vater
St. Francis renouncing his father   St. François renonciant à son père

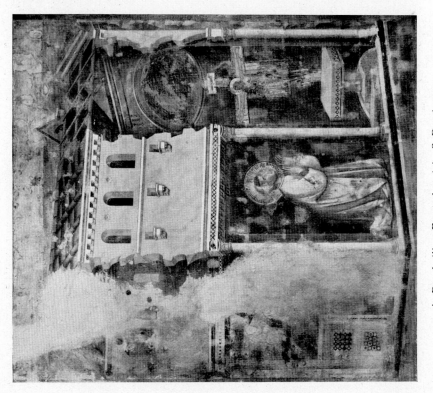

4. Der heilige Franz betet in S. Damiano
Der Gekreuzigte fordert die Wiederherstellung der verfallenen Kirche
St. Francis praying before the   St. François priant à Saint Damien
Crucifix at St. Damiano

145

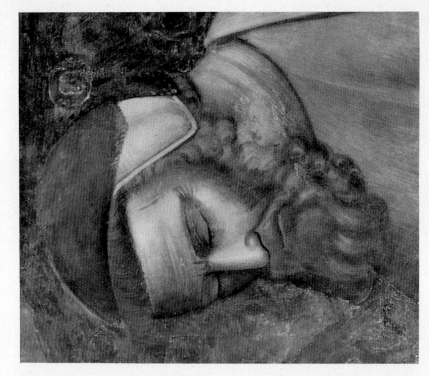

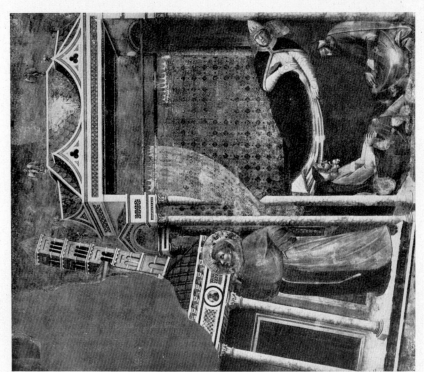

6. Papst Innozenz III. sieht im Traum, wie Franz die lateranische Basilika stützt
La vision du Pape Innocent III., St. François soutenant
la basilique du Latran

The dream of Pope Innocent III., St. Francis supporting
the Basilica Laterana

8. Die Brüder sehen den heiligen Franz im feurigen Wagen
Les frères voyant St. François dans le char de feu
The friars seeing St. Francis in the fiery chariot

7. Innozenz III. bestätigt die Ordensregel
Innocent III. approuvant la règle de l'ordre
Innocent III. sanctions the rules of the Order

10*. Franz vertreibt die Dämonen aus Arezzo
St. François chasse les démons
d'Arezzo
The expulsion of the demons
from Arezzo

9*. Die Vision der Throne
La vision des trônes
The Vision of the Thrones

12*. Die Verklärung des heiligen Franz
The Glory of St. Francis
St. François soulevé de terre et
entouré d'un nuage lumineux

11*. Der heilige Franz bietet dem Sultan die Feuerprobe an
St. Francis offers to the Sultan · St. François offre au Sultan
the fire-ordeal · l'épreuve du feu

14*. Das Wunder der Quelle   Le miracle de la source

The miracle of the spring

13*. Franz an der Weihnachtskrippe zu Greccio

St. Francis at the Christmas-crib   St. François à la crèche de Noël

at Greccio   à Greccio

16*. Der Tod des Edlen von Celano   La mort du gentilhomme de Celano
The death of the knight of Celano

15. Der heilige Franz predigt den Vögeln   St. François prêchant aux oiseaux
The Sermon to the birds

18* Die Erscheinung zu Arles   L'apparition à Arles
The apparition at Arles

17. Der heilige Franz predigt vor Honorius III.
St. Francis preaches before   St. François prêchant devant
Honorius III.   Honorius III

20. Tod und Aufnahme des heiligen Franz
Death and Reception of St. Francis   Mort et Réception de St. François

19*. Die Stigmatisation des heiligen Franz
The Stigmatization of St. Francis   La Stigmatisation de St. François

22*. Die Totenfeier für den heiligen Franz und die Bekehrung
des Hieronymus

The Funeral of St. Francis and the — Les funérailles de St. François et la
conversion of Jerome — conversion de Jérome

21*. Die Vision des Bruders Augustinus und des Bischofs
Guido von Assisi

The Vision of Augustin and of the — La vision de frère Augustin et de
bishop Guido of Assisi — l'évêque Guido d'Assisi

154

23*. Die Trauer der Clarissinnen um Franz vor der Kirche S. Damiano

The Clares mourning for St. Francis before the church of S. Damiano	Les lamentations des Clarisses pour St. François devant l'église de Saint Damien

Die Trauer der Clarissinnen um Franz vor der Kirche S. Damiano
(Ausschnitt von 23)   (Detail)

The Clares mourning for St. Francis before the church of S. Damiano
(Detail)

Les lamentations des Clarisses pour St. François devant l'église de Saint Damien
(Détail)

156

26*. Die Heilung des Mannes von Ilerda
The healing of the man of Ilerda   La guérison de l'homme d'Ilerda

25*. Gregor IX. sieht im Traum die Wundmale des heiligen Franz
Gregory IX. sees in a dream the   Grégoire IX voit en rêve, les
stigmata of St. Francis   stigmates de St. François

28*. Der heilige Franz befreit Pietro von Assisi, den Häretiker,
aus dem Kerker

St. Francis delivers from the prison   St. François délivre de la prison
Peter of Assisi, the heretic   Pierre d'Assisi, l'hérétique

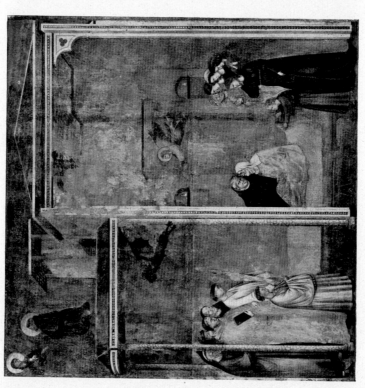

27*. Die Beichte der vom Tode erwachten Frau
The Confession of the resuscitated   La confession de la femme
woman   ressuscitée

FRESKEN DER UNTERKIRCHE VON SAN FRANCESCO ZU ASSISI

FRESCOES OF THE LOWER CHURCH
AT ASSISI

FRESQUES DE L'ÉGLISE INFÉRIEURE
À ASSISI

* Unterkirche. Chor. Kreuzgewölbe, Feld über dem Mittelschiff   Allegorie der Franziskaner-Ordensgelübde: Die Armut

Allegory of the franciscan vows: The Poverty

Allégorie des voeux franciscains: La Pauvreté

Allegorie der Franziskaner-Ordensgelübde: Die Keuschheit
Allégorie des voeux franciscains: La Chasteté
Allegory of the franciscan vows: The Chastity

* Unterkirche. Chor. Kreuzgewölbe, Feld über dem linken Seitenschiff

Allegorie der Franziskaner-Ordensgelübde: Der Gehorsam
Allégorie des voeux franciscains: L'Obéissance
Allegory of the franciscan vows: The Obedience

Unterkirche. Chor. Kreuzgewölbe, Feld über der Tribuna

The glorification of St. Francis   Der heilige Franz in der Glorie   La glorification de St. François

Unterkirche. Chor. Kreuzgewölbe

Dekoration der Gewölberippen und der Rahmen

Cross-arched vault; decoration of the ribs and frames   Voûte en arête : décoration des nervures et des bordures

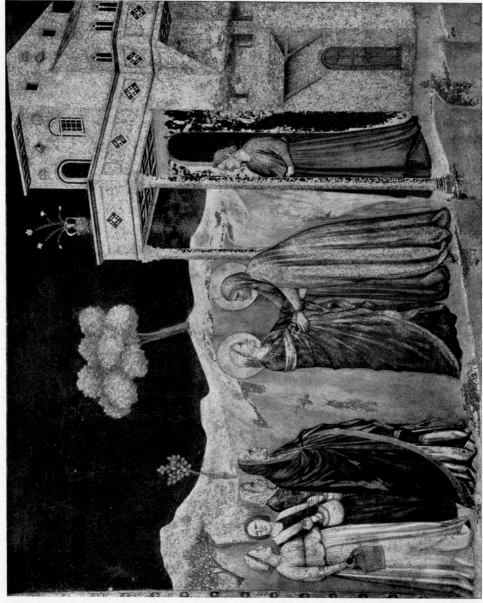

*Unterkirche. Rechtes Querschiff. Tonnengewölbe

Heimsuchung Mariae

The Visitation

La Visitation

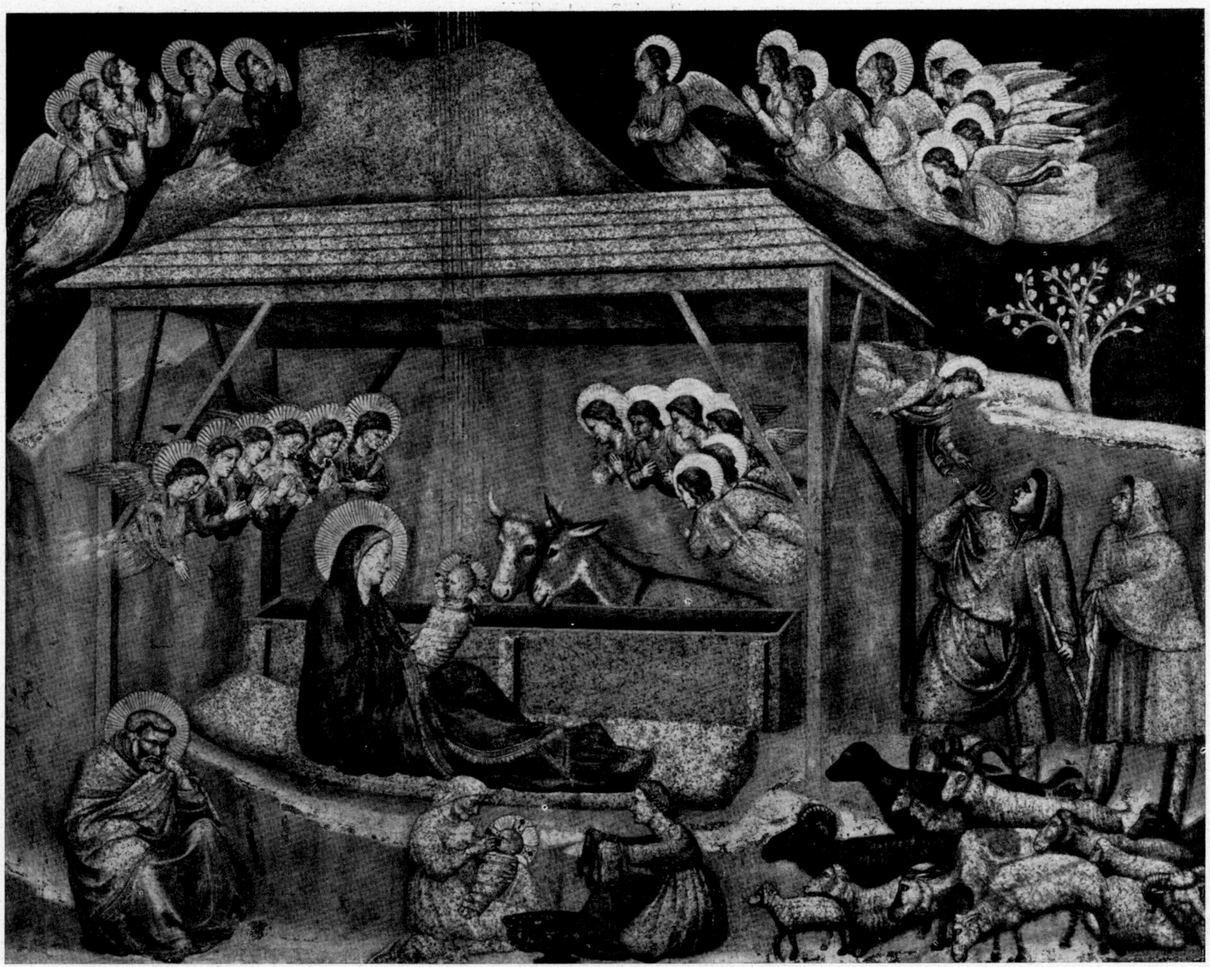

Die Geburt Christi

La nativité de Jésus-Christ

The nativity of Christ

165

*Unterkirche. Rechtes Querschiff. Tonnengewölbe

Anbetung der Könige

The adoration of the Magi

L'adoration des Mages

Darstellung im Tempel

The presentation in the temple

La présentation au temple

*Unterkirche. Rechtes Querschiff. Tonnengewölbe

Der bethlehemitische Kindermord

The massacre of the innocents

Le massacre des innocents

*Unterkirche. Rechtes Querschiff. Tonnengewölbe

Die Flucht nach Ägypten

La fuite en Égypte

The flight to Egypt

*Unterkirche. Rechtes Querschiff. Tonnengewölbe

Der zwölfjährige Jesus im Tempel

Jesus and the doctors in the temple

Le jeune Jésus au temple

* Unterkirche. Rechtes Querschiff. Tonnengewölbe

Die Kreuzigung

The crucifixion

Le crucifiement

Erweckung des aus dem Fenster gestürzten Knaben
Résurrection du garçon tombé par la fenêtre
Resuscitation of the boy fallen from a window

*Unterkirche. Rechtes Querschiff. Links vom Eingang zur Nikolaus-Kapelle

Der Tod des Jünglings von Suessa

La mort du jeune homme de Suessa

Death of the young man of Suessa

Auferweckung des Jünglings von Suessa

Resuscitation of the young man of Suessa

Résurrection du jeune homme de Suessa

* Unterkirche. Magdalenenkapelle. Über dem Eingang zum Langschiff. Lünette

Der hl. Zosimus bringt der Magdalena den roten Mantel

St. Magdalen receiving the red garment from St. Zosimus   (Ausschnitt)   St. Zosime donne le manteau rouge à Ste. Madeleine
(Detail)   (Détail)

*Unterkirche. Magdalenenkapelle. Linke Wand

Die Kommunion der heiligen Magdalena und ihre Aufnahme

Communion and Reception of St. Magdalen

Communion et Réception de Ste. Madeleine

Auferweckung des Lazarus

Resuscitation of Lazarus

Résurrection de Lazare

178

*Unterkirche. Magdalenenkapelle. Rechte Wand. Lünette

Maria Magdalena wird von Engeln zum Himmel getragen
The Assumption of the kneeling St. Magdalen
Deux anges emportent Ste. Madeleine agenouillée

Noli me tangere

* Unterkirche. Magdalenenkapelle. Rechte Wand

*Unterkirche. Magdalenenkapelle. Rechte Wand

Magdalena landet in Marseille. Das Wunder an der Frau des vornehmen Mannes aus Marseille
St. Magdalen comes to shore at Marseille
The miracle of the noble woman of Marseille
St. Madeleine débarque à Marseille
Le miracle de la noble dame de Marseille

Magdalena und der Stifter der Kapelle, Teobaldo Pontano da Todi

Magdalen and the founder of the chapel   St. Madeleine et le fondateur de la chapelle

*Florenz, Palazzo del Podestà (Bargello). Magdalenenkapelle

Bildnis Dantes
(Wiederhergestellt)

Portrait of Dante
(restored)

Portrait du Dante
(restauré)

TAFELBILDER

PANELS   PEINTURES SUR BOIS

Stigmatisation des heiligen Franz
(Predella: Drei Szenen aus der Franz-Legende)

Stigmatization of St. Francis
(Predella: Three scenes of the legend of St. Francis)

Stigmatisation de St. François
(Predella: Trois scènes de la légende de St. François)

184

Der Tod Mariae

The Death of the Virgin   La mort de la Vierge

*Berlin, Kaiser-Friedrich-Museum   Auf Holz, H. 0,53, 0,74; B. 1,76

Der Tod Mariens

The Death of the Virgin   (Ausschnitt: Johannes und Petrus)   La mort de la Vierge
(Detail: St. John and St. Peter)   (Détail: Saint Jean et St. Pierre)

186

The Death of the Virgin
(Detail)

Der Tod Mariens
(Ausschnitt)

La mort de la Vierge
(Détail)

Auf Holz. Etwa halbe Lebensgröße

Der Gekreuzigte

Crucifix   Le Christ en croix

188

Padua, Chiesa dell' Arena, Sakristei

Der Gekreuzigte
(Ausschnitt)

Crucifix
(Detail)

Le Christ en croix
(Détail)

Padua, Chiesa dell' Arena, Sakristei

Der Gekreuzigte

Crucifix   (Ausschnitt: Der klagende Johannes)   Le Christ en croix
(Detail: St. John mourning)   (Détail: St. Jean pleurant)

190

Der thronende Christus mit Engeln und Stifter
(Polyptychon. Mittelstück)

Christ enthroned with angels and founder (Polyptych. Central panel)	Jésus-Christ assis sur le trône avec des anges et le donateur (Polyptyque. La peinture centrale)

Rom, St. Peter. Sakristei

Die Kreuzigung Petri
(Polyptychon. Linker Flügel)
The crucifixion of St. Peter   Le crucifiement de St. Pierre
(Polyptych. Left wing)   (Polyptyque. Volet gauche)

The crucifixion of St. Peter
(Polyptych. Left wing)
(Detail)

Die Kreuzigung Petri
(Polyptychon, Linker Flügel)
(Ausschnitt)

Le crucifiement de St. Pierre
(Polyptyque; volet gauche)
(Détail)

Die Enthauptung des Paulus
(Polyptychon. Rechter Flügel)

The decollation of St. Paul
(Polyptych. Right wing)

La décollation de St. Paul
(Polyptyque. Volet droit)

Rom, St. Peter, Sakristei

Petrus
(Polyptychon, Rückseite des Mittelteils)
St. Peter   St. Pierre
(Polyptych. Reverse of the central part)   (Polyptyque. Revers de la peinture centrale)

Jakobus und Paulus

(Polyptychon. Rückseite des rechten Flügels)

St. James and St. Paul   St. Jacques et St. Paul

(Polyptych. Reverse of the   (Polyptyque. Revers du
right wing)   volet droit)

Andreas und Johannes Ev.

(Polyptychon. Rückseite des linken Flügels)

St. Andrew and St. John   St. André et St. Jean
the Evangelist   l'Évangeliste

(Polyptych. Reverse of the   (Polyptyque. Revers du
left wing)   volet gauche)

196

Rom, St. Peter, Sakristei

Die Madonna, zwei Engel, Petrus und Jakobus
(Polyptychon. Predella der Mitteltafel)

The Virgin, two angels, St. Peter and St. James
(Polyptych. Middle Predella)

La Vierge, deux anges, St. Pierre et St. Jacques
(Polyptyque. Predella de la peinture centrale)

Rom, St. Peter, Sakristei

Fünf Apostel
(Polyptychon. Predella des linken Flügels)

Five apostles
(Polyptych. Predella of the left wing)

Cinq apôtres
(Polyptyque. Predella du volet gauche)

Rom, St. Peter, Sakristei

Fünf Apostel
(Polyptychon. Predella des rechten Flügels)

Five apostles
(Polyptych. Predella of the right wing)

Cinq apôtres
(Polyptyque. Predella du volet droit)

199

*Florenz, Sta. Croce, Cappella Medici

Auf Holz, H. 1,90, B. 3,25, ohne die Konsolen

Krönung Mariae

Coronation of the Virgin

Couronnement de la Vierge

Krönung Mariae

Coronation of the Virgin   (Mittelstück)   Couronnement de la Vierge
(Central panel)   (La peinture centrale)

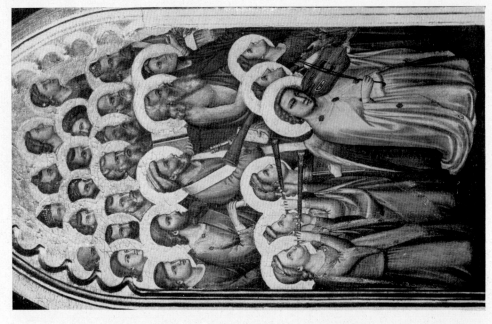

Auf Holz, H. 0,93, B. 0,45

Couronnement de la Vierge
(Les volets gauches)

Krönung Mariae
(Die linken Flügel)

Coronation of the Virgin
(The left wings)

Florenz, Sta. Croce, Cappella Medici

Auf Holz, H. 0,93, B. 0,45

Couronnement de la Vierge
(Les volets droits)

Krönung Mariae
(Die rechten Flügel)

Coronation of the Virgin
(The right wings)

Florenz, Sta. Croce, Cappella Medici

New York, Sammlung Henry Goldman   Auf Holz, H. 0,85, B. 0,63

Maria mit dem Kinde

The Virgin with the child   La Vierge avec l'enfant

* Florenz, Fondazione Horne Auf Holz, H. 0,84, B. 0,54

Der heilige Stephanus

St. Stephen St. Étienne

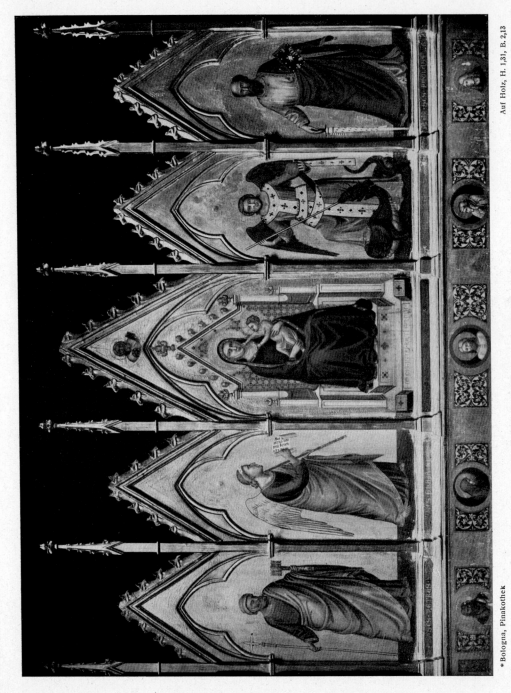

Auf Holz, H. 1,31, B. 2,13

Die Madonna mit Petrus, Gabriel, Michael und Paulus

La Vierge avec St. Pierre, Gabriel, Michel et Paul

The Virgin with St. Peter, Gabriel, Michel and Paul

Auf Holz, H. 0,44, B. 0,43

Darstellung im Tempel

The presentation in the temple

La présentation au temple

207

Das heilige Abendmahl

The last Supper   La Cène

Auf Holz, H. 0,45, B. 0,44

Die Kreuzigung

The crucifixion   La Crucifixion

Auf Holz, H. 0,45, B. 0,44

Christus in der Vorhölle

Christ in limbo   Jésus-Christ aux limbes

Auf Holz, H. 0,46, B. 0,44

Grablegung

The Entombment

La mise au tombeau

Die Kreuzigung

The Crucifixion   La Crucifixion

*Florenz, S. Felice in Piazza

Auf Holz

Der Gekreuzigte

Crucifix

Le Christ en croix

*Florenz, Ognissanti

Der Gekreuzigte

Auf Holz

Crucifix   Le Christ en croix

*Florenz, S. Marco   Auf Holz

Der Gekreuzigte

Crucifix   Le Christ en croix

SKULPTUREN

SCULPTURES SCULPTURES

Florenz, Glockenturm des Domes Sta. Maria del Fiore

1. Erschaffung Adams   Création d'Adam   2. Erschaffung Evas   Création d'Ève

Creation of Adam   Creation of Eve

Florenz, Glockenturm des Domes Sta. Maria del Fiore

3. Adam und Eva aus dem Paradies vertrieben
Adam and Eve expelled
of the Paradise
Adam et Ève chassés
du Paradis terrestre

4. Jabal, der erste Hirte
Jabal the first shepherd
Jabal le premier pasteur

217

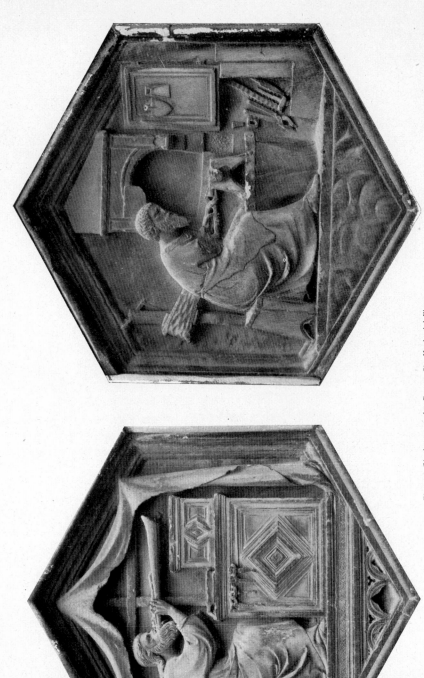

Florenz, Glockenturm des Domes Sta. Maria del Fiore

5. Jubal, der Erfinder der Musik   6. Tubalcain, der erste Schmied
Jubal, l'inventeur de la musique   Tubalcain, le premier forgeur
Jubal, inventor of the music   Tubalcain, the first smith

ERLÄUTERUNGEN

UND

REGISTER

Die Aufnahmen stammen von:

Fratelli Alinari, Florenz: Titelbild, S. XI, XIII, XV, XXIV, XXXIII, XLIII, LIII, LVI, 1,4—116, 124—134, 136—140, 142—144, 146—151, 152,$_{19}$—154, 156—173, 175, 177, 178, 180—184, 188—190, 200—203, 213—218; Anderson, Rom: S. 141, 145, 152,$_{18}$, 155, 191—194, 196—199, 206; C. Benvenuti, Assisi: S. 176 und 179; G. Brogi, Florenz: S. 117—123; F. Bruckmann A.-G., München: S. 208—209; F. Hanfstaengl, München: S. 210; Kaiser Friedrich-Museum, Berlin: S. 185—187, 212; Photogr. Kabinett der Uffizien, Florenz: S. 205; Vatikanisches Museum, Rom: S. 195. Aufnahmen der Besitzer: S. 204, 207, 211.

Erläuterungen

Eine kritische Besprechung der wichtigsten Giotto-Literatur bei Rintelen, „Giotto und die Giotto-Apokryphen", München 1912, S. 271 ff., die in der zweiten Auflage dieses in vieler Beziehung grundlegenden Buches (Basel 1923) bis zum Erscheinungsjahr weitergeführt ist, S. 229 ff. Hier wird stets die zweite Auflage zitiert. Derselbe Gelehrte hat im XV. Bande von Thiemes Allg. Künstlerlexikon den Artikel Giotto bearbeitet und in gedrängter Form unser Wissen von dem Künstler dargestellt. — Im folgenden sei ergänzend das nachgetragen, was seitdem über Giotto an neuen Schriften erschienen und dem Herausgeber bekannt geworden ist: W. Suida, „Giottos Bild des Todes Mariae im Kaiser Friedrich-Museum", Jahrb. d. preuß. Kunstsamml. XLIV (1923), S. 126 ff. — Derselbe, „Aus dem Kreise Giottos", Belvedere, V (1924), S. 126 ff. — Luigi Chiappelli, „Nuovi documenti su Giotto", L'Arte XXVI (1923), S. 132 ff., wichtig. — A. Moschetti, „Questioni cronologiche giottesche". Atti e memorie della R. Academia di scienze in Padova. Vol. XXXVII (1921). — Derselbe, Di nuovo su „questioni cronologiche giottesche". Nota polemica, ebenda. Vol. XL (1924). — Suzanne Pichon, „Gli affreschi di Giotto al Santo di Padova". Bollettino d'Arte Serie II. Anno IV (1924/25), S. 26 ff. — Serafinis Artikel im Messagero (vgl. Erläuterung zu S. 1), wiederabgedruckt in L'Arte XXVIII (1925), S. 59 ff. mit Abb. — W. Hausenstein, „Giotto", Berlin o. J. [1923] 402 S.; eine wortreiche Paraphrase der Giotto-Literatur, oder auch des Buches von Rintelen. Gute Abbildungen. — Carlo Carrà, „Giotto", 192 riproduzioni in fototipia, Roma 1924, 110 S. Text. Oberflächliche Zusammenstellung der bisherigen Forschungsergebnisse, vornehmlich nach Rintelen. Die Besprechung der Giotto-Literatur (S. 18 ff. Anm.) mit Kürzungen aus Rintelen wörtlich übersetzt, ohne dies anzugeben. Die Bibliographie nach Hausenstein, aber aus der chronologischen in die alphabetische Folge gebracht, unter Konservierung der Druckfehler. Die nur zum kleinen Teil brauchbaren Abbildungen willkürlich durcheinandergeworfen, besonders die nach den Bildern der Arena. — Erwin Rosenthal, „Giotto in der mittelalterlichen Geistesentwicklung", Augsburg 1924, 228 S., 63 Abb. Ein auf breiter Grundlage aufgebauter Versuch, Giotto geistesgeschichtlich in den europäischen Zusammenhang einzuordnen. — Raimond van Marle, „The development of the Italian Schools of Painting", Vol. III, The Florentine School of the 14th century, Haag 1924, behandelt Giotto, seinen Kreis und seine Nachfolger. Ausgezeichnete Abbildungen.

S. 1. Die Kopien der Navicella sind zusammengestellt bei L. Venturi (L'Arte XXV [1922], S. 49 ff.), der im ganzen 18 aufzählt; derselbe Autor hat (L'Arte XXI [1918], S. 229 ff.) das Entstehungsdatum der Navicella auf 1320 gerückt. Rintelen nennt sie (a. a. O., S. 181) „die vielleicht früheste der uns erhaltenen Arbeiten des Künstlers". Sie wird hier an den Anfang gesetzt mit Rücksicht auf die Tradition; die Möglichkeit einer stilkritischen Wertung und einer daraus zu begründenden Datierung scheint mir die Navicella in ihrer heutigen Gestalt nicht mehr zu bieten. — Neuerdings ist in den Grotten des Vatikan, in der Familienkapelle der Orsini (zubenannt S. Maria delle partorienti) das Gegenstück zu dem Mosaikrundbild der Halbfigur eines Engels in S. Pietro Ispano zu Boville Ernica (unter einem Mosaik des achtzehnten Jahrhunderts gleichen Gegenstandes) zutage gekommen. Das Mosaik ist stark beschädigt. Es wird wie jenes als zur Navicella gehörend und darum als eine Arbeit Giottos angesehen. Inzwischen ist es (nach liebenswürdiger Mitteilung des Herrn Prof. Ernst Steinmann in Rom) in das neue Museo Pietrino übergeführt worden. — Zu dem Mosaik in Boville Ernica vergleiche Munoz im Boll. d'Arte V (1911), S. 161 ff.; über das neu aufgefundene Fragment A. Serafini im Messagero vom 13. Dezember 1924, mit Abb.

S. 2—3. Das hier abgebildete Schema der Anordnung der Gemälde macht nicht den Anspruch, die genauen Maßverhältnisse der Kapelle wiederzugeben, will nur die Stellung eines jeden Bildes innerhalb der Gemäldefolge deutlich bezeichnen. Die Nummern des Schemas sind auch den Abbildungen der einzelnen Fresken beigesetzt.

S. 4—5. Moschetti (La Cappella degli Scrovegni e gli Affreschi di Giotto in essa dipinti, Firenze 1904, S. 25 und 57) gibt für die Kapelle und die Gemälde folgende Maße: Länge der Kapelle einschließlich der Tribuna 29,26 m, Breite des Schiffes 8,48, Breite der Tribuna 4,36 m, Lothöhe des Schiffes vom Scheitel der Wölbung gemessen 12,80 m. Die Höhe der Bilderstreifen an den Seitenwänden einschließlich des Rahmens 2,30 m, des gemalten

Marmorsockels 3,11 m, die Breite der Gurten 0,94 m. Die Maße der Kapelle gelten als Grundrißmaße. Die einzelnen Gemälde der Seitenwände sind nicht viel breiter als hoch, Heimsuchung und Judaspakt an der Triumphbogenwand sind im Verhältnis um ein größeres Stück schmaler als hoch. — Ein ziemlich genauer Grundriß bei Selvatico (Sulla Cappellina degli Scrovegni, Padova 1836), Tav. 1. — Moschetti (a. a. O., S. 11) gibt als Datum der Niederlegung des Palazzo de' Scrovegni „um 1820"; nach Selvatico (a. a. O., S. 10) hat sie jedoch um 1826 stattgefunden, als nach dem Palazzo auch die Kapelle Giottos abgerissen werden sollte.

S. 6—115. Um eine schwache Vorstellung des farbigen Eindruckes der Gemälde zu ermöglichen, werden im folgenden einige Farbenangaben gemacht. Die Architektur ist meist steinfarben, auch lichtgrünlich. Häufig werden die Gesimse und ähnliche Bauglieder in Hellrot (Rosa) abgesetzt, auch in Gelb. Die Felspartien der Landschaften sind in einem grünlichen Grau gehalten. Die phantastische Färbung der Architektur und Landschaft in leuchtenden, willkürlichen Tönen, wie sie die italienische Malerei des Dugento liebte, hat Giotto ganz aufgegeben, während sie zum Beispiel in den Franziskusfresken der Oberkirche von S. Francesco in Assisi beibehalten ist, so etwa im Bilde der „Vertreibung der Dämonen aus Arezzo" (S. 148,₁₀). Die Gewandfarben der hauptsächlichsten Figuren der Arena-Fresken sind folgende:

	Gewand	Mantel
Joachim	lichtblau	gelblichrosa
Anna	dunkelbraunrot	—
Der Hohepriester	weiß	dunkelrot
Maria (Tempelgang, Vermählung)	elfenbeinfarben	elfenbeinfarben
Maria (Verkündigung, Heimsuchung bis zur Flucht; Jüngstes Gericht)	elfenbeinfarben	dunkelrotes, ärmelloses Übergewand, darüber zuweilen noch der dunkelblaue Mantel
Maria (der zwölfjährige Jesus im Tempel und alle folgenden Szenen)	dunkelweinrot	dunkelblau
Joseph	lichtblau	gelb
Christus	dunkelweinrot	dunkelblau
Magdalena	rötlich-graulila	braunrot, grüngefüttert
Petrus	blau	gelb
Andreas	rot	dunkelgrün
Johannes	blau	weinrot
Bartholomäus	weiß	weißbrokat mit heute schwarzem, ehemals silbernem Vierpaßmuster
Matthäus, Greis vom Petrustyp, aber mit kurzgelocktem grauen Haupthaar	rosa	rosa
Simon, Greis mit hoher, kahler Stirne und kurzgelocktem grauen Haupthaar	rosa	rosa
Thomas	—	lichtblau
Jakobus d. J.	braunrot	lilagrau im Jüngsten Gericht, sonst lichtgrün
Jakobus d. Ä.	grün	blau
Philippus	ein mittleres Grün	gelichtete Faltengrate
Thaddäus	dunkelrot	gelb
Judas (mit schwarzem Nimbus)	gelb	gelb
Matthias (im Jüngsten Gericht und beim Pfingstfest)	gelb	gelb

Vielfach ist Silber verwendet, so für die Nimben der Apostel, auch für die Verzierung der Gewänder, doch ist es zumeist schwarz geworden.

Für Thomas, Philippus und Thaddäus bleibt die Benennung unsicher. Im Jüngsten Gericht ist die Gewandfarbe des Thaddäus, soweit die sehr zerstörte Partie des Freskos ein Urteil zuläßt, lichtgrün. Abweichungen im Farbenkanon wird man auch auf verständnislose Wiederherstellung setzen dürfen. — Um dem Leser die Erkennung der Kopftypen der Jünger zu erleichtern, seien für die Fußwaschung die Namen genannt, und zwar links bei Andreas beginnend über die Köpfe der stehenden Jünger im Kreise über Petrus zu Christus zurückkehrend: 1. Andreas, 2. Philippus, 3. Judas Ischariot, 4. Jakobus d. Ä., 5. Johannes, der vordere, stehende, 6. Thaddäus, der hinter Johannes stehende Jünger, 7. Bartholomäus, 8. Simon, 9. Jakobus d. J., 10. Thomas, nur ein Stück des Hauptes sichtbar, 11. Matthäus, 12. Petrus. Unter Verwendung der hier gegebenen Nummern ergibt sich für das „Abendmahl" bei Johannes beginnend, über Petrus nach rechts fortfahrend, durch die vordere Reihe von rechts nach links zu Jesus zurückkehrend, folgendes Zahlenschema: 5. 12. 10. 9. 6. 4. 2. 8. 7. 1. 3. 11. — Für die „Himmelfahrt", von links nach rechts (für die hintere Reihe sind nur die erkennbaren Kopftypen genannt): 1. 9. 5. 12, rechts: 11. 7. 8. 4. Es ist kein Zufall, daß die drei bartlosen Jünger in der hinteren Reihe knien. — Für die „Ausgießung des Heiligen Geistes", links bei Petrus beginnend, wie beim „Abendmahl" weitergehend: 12. 5. 9. 6. 4. 11. 10. Matthias. 7. 1. 2. 8. An der „Himmelfahrt" nehmen nur elf Jünger teil, beim „Pfingstfest" sind es durch Matthias wieder zwölf. — Für das „Jüngste Gericht" von links nach rechts: 6. 8. 4. 2. 9. 12; Mandorla: 5 (Johannes Evang. als Greis): 1. 7. 11. 10; Matthias. — Bartholomäus erscheint im gleichen Gewande, durch sein Attribut, das Messer, gekennzeichnet, in einem der Medaillons über den Fenstern (Nr. 81), dort erkennt man auch noch andere der Jünger.

Vielleicht kann in folgendem der Überrest eines herkömmlichen Farbenkanons für die Apostel gesehen werden. In Duccios Dombild trägt Bartholomäus ein goldbraunes Gewand und dunkellila Mantel. Im Halbrundbildchen der Vorderseite jedoch ein helles Gewand mit dunklem Ornament. Die Schüler Duccios haben dem Heiligen in den Bildern des Aufsatzes (Erscheinungen des Auferstandenen, Marienlegende) dieses helle ornamentierte Gewand zurückgegeben, während Duccio in der Haupttafel stets das Goldbraun verwendet. Schwerlich kann man es einen Zufall nennen, wenn Giottos Bartholomäus stets den hellen, ornamentierten Mantel trägt. Beziehungen irgendwelcher Art, die auf eine gegenseitige Wirkung, d. h. Giottos auf Duccio, schließen ließen, bestehen nicht. Also dürfte, für Bartholomäus wenigstens, auf eine Tradition geschlossen werden, die wohl auch für Petrus (blau/gelb) bestanden hat. Vgl. C. H. Weigelt, Duccio, Leipzig 1912, S. 68, Anm. — Daß Giotto für die Apostel einen Farbenkanon festhält, darüber hat als erster Selvatico gesprochen (a. a. O., S. 83 f.), ein Beweis dafür, wie sorgsam der verdiente Mann beobachtete. Außer ihm hat, soviel ich sehe, nur noch Moschetti (a. a. O., S. 85, vgl. auch S. 46) die Tatsache erwähnt.

Die schwierige Frage nach dem Erhaltungszustand der Arenafresken sollte mehr unterstrichen, als beiseitegeschoben werden. Die älteren Zeugnisse sind spärlich. Rossetti (Descrizione ... di Padova, Padova 1765, S. 18 ff.) sagt nichts darüber. Brandolese (Pitture ... di Padova, Padova 1795, S. 214) nennt sie „im allgemeinen gut erhalten", besonders die Bilder der obersten Reihen. Lanzi (Storia Pittorica della Italia, Bassano 1795/96, II, S. 5) fand sie vorzüglich erhalten (opera conservatissima). Moschini (Guida di Padova, Venezia 1817, S. 6 ff.) wiederholt die Aussage Brandoleses. Die Vorhalle sei nicht mehr vorhanden (vgl. Abb. S. XI), da sie eingestürzt sei. Daher käme es, daß die Malerei der Innenwand (also das Jüngste Gericht) immer mehr Schaden leide (va più sempre scapitando). C. F. v. Rumohr (Italienische Forschungen, Berlin 1827, II, S. 68) gibt an: „Die Malerey" sei „im traurigsten Zustande...", „da sie von ungeschickter Hand gewaschen und mit Leimfarbe neu bemalt worden". „In ihrem gegenwärtigen Zustande gestattet sie kein Urteil über ihr Verdienst oder Unverdienst." Die Meinung des sonst so gewissenhaften Mannes hat hier kaum Wert, da sein Urteil über Giotto durchaus voreingenommen ist. Das hat man frühzeitig empfunden. Selvatico (a. a. O., S. 32, Note) charakterisiert Rumohrs

Ansicht als „ein sehr unsinniges Urteil" (un assai storto giudizio). Er zählt die Stellen auf, die er für restauriert hält, und sagt, Rumohr würde sich, gerade ihnen gegenüber, von dem guten Erhaltungszustand (preziosa conservazione) der anderen Fresken haben überzeugen können, wenn er eben nicht mit voreingenommenem Auge gesehen hätte. Selvatico, der Paduaner war, hat die Fresken sorgfältig studiert, und man kann nicht anders, als seinen Beobachtungen ernstliches Gewicht beilegen. Ernst Förster (Gesch. d. ital. Kunst, Bd. II, Leipzig 1870, S. 244, Note) sagt: „Ich habe bei einem längeren Aufenthalt in Padua 1837 dieselben genau untersucht und v. Rumohrs Ausspruch viel zu weitgehend gefunden." Förster hatte im „Kunstblatt" 1837, S. 380, über den Zustand der Fresken Beobachtungen niedergeschrieben, denen er auch 1870 „im Wesentlichen noch volle Gültigkeit" läßt. Wie zumeist in der älteren Literatur wird auch von ihm nicht scharf genug unterschieden zwischen Gehilfenarbeit und späterer Übermalung. In den Erläuterungen zu den einzelnen Bildern habe ich Försters Urteile angeführt (S. 7 ff.), aber nur dann, wenn sie über das gewöhnliche „Erhalten" — will sagen verhältnismäßig gut erhalten — hinausgehen. Crowe und Cavalcaselle scheiden zwischen gut erhaltenen und mehr oder weniger beschädigten. Das deckt sich mit dem heutigen Befund. Selvatico als hingebender Verehrer der Kunst Giottos hat den sich verschlechternden Zustand der Fresken mit Besorgnis beobachtet. Er ist die treibende Kraft gewesen, sie vor weiterem Schaden zu bewahren. Vielfach zeigten sich Blasenbildung des Bewurfes infolge von Feuchtigkeit und Abblätterungen der Oberfläche. Ende 1869 wurde der Restaurator Guglielmo Botti aus Pisa berufen, um zunächst Versuche mit der Festlegung des gefährdeten Bewurfes zu machen, dann auch, um eine Reinigung nach seinem besonderen Verfahren durchzuführen. Die von Botti gelieferten Proben fielen zur Zufriedenheit aus, doch scheinen die von der Commissione conservatrice gemachten Vorschläge, Nr. 32—37, besonders aber 35, 34 und 32 zu reinigen, nicht ausgeführt worden zu sein. (Selvatico, Sulle riparazioni dei celebri affreschi di Giotto..., Memoria, Pisa 1870.) Denn noch kurz vor seinem Tode, Anfang 1880, hat Selvatico auf den verschlimmerten Zustand der Fresken hingewiesen und rasche Hilfe geraten. Die Methode Bottis sollte von Bertolli angewendet werden. Erst als im Mai 1880 die Kapelle mit dem Gelände der Arena in den Besitz der Stadt überging, ist durchgreifend Abhilfe geschaffen worden. Die Arbeiten der Restaurierung des Baues, die Dränierung des Geländes usw. leitete der Architekt E. Maestri, die Festigung und Reinigung der Fresken Bertolli. Aus den Berichten und Urkunden scheint hervorzugehen, daß man größte Vorsicht anwendete, nur erhalten, nicht erneuern wollte. (Tolomei, La Chiesa di Giotto..., Relazione, Padova 1880; derselbe, La Cappella degli Scrovegni, Padova 1881.) Man war schon 1869 so vorsichtig, von Naya Aufnahmen der Stellen machen zu lassen, an denen Botti seine Versuche vornehmen sollte. Moschetti (a. a. O., S. 123) meint, daß es hier und da an Restaurierungen nicht fehle, doch seien sie nicht derart, um den Gesamteindruck der Fresken herabzusetzen. Vgl. dazu auch Supino, Giotto, S. 150 ff. Die Bemerkung E. Rosenthals (a. a. O., S. 182, vgl. Literatur) über den Erhaltungszustand der Arena-Fresken hat nur den Wert einer Selbstberuhigung. — Daß man, wahrscheinlich 1826, auf die zugemauerte Verbindungstür zum Palazzo die Stultitia (Nr. 53) kopierte, könnte vermuten lassen, daß damals auch sonst in der Kapelle restauriert wurde. Wenn umfangreiche Wiederherstellungen vorgenommen worden sind, wofür Rumohrs Bemerkungen sprechen können, so bleibt es merkwürdig, daß Selvatico, der noch zehn Jahre später die Stultitia als neu gemalt erwähnt (tutta ridipinta), nur wenige Stellen sonst für restauriert hält, also nichts von einer umfassenderen Erneuerung weiß.

Über die technische Ausführung des Blau vgl. Cennino Cennini, Das Buch von der Kunst, herausgegeben von A. Ilg, Wien 1871, S. 57. Im rechten Querschiff der Unterkirche von S. Francesco zu Assisi (Abb. S. 164 ff.) sind die Hintergründe der Fresken in dem gleichen heftigen Blau wie in der Arena erneuert. Dagegen scheinen an der Decke der Oberkirche unberührte Farbreste dieses Tones erhalten zu sein. Daß den Deckenwölbungen überall ein sehr leuchtendes Blau gegeben wurde, steht außer Zweifel. — Selvatico hielt die Fresken Giottos nicht für „buon fresco", also nicht für reine Freskomalerei (bei der die Farbe nur durch die Kalksinterung gehalten wird), vielmehr seien sie in der Weise, die Cennini beschreibt, al secco, das heißt in Tempera übergangen und vollendet worden. Für das Blau der Gewänder und Gründe trifft das zu, es wurde (nach Cennini) gewöhnlich in Tempera aufgesetzt. Moschetti dagegen meint, bis auf das Blau seien die Fresken „buon fresco". Das Blau ist sicher nicht ursprünglich, wofür mehrfache Beweise vorhanden sind. Die Erneuerung muß jedenfalls v o r der Restaurierung 1880/81 geschehen sein. Wenn man sich übrigens an jenes von Fra Angelico so geliebte fatale Blau erinnert, das offenbar denselben Farbkörper hat wie in den Gründen der Arena, und ebenso vorlaut das farbige Gleichgewicht stört, so kann man die Möglichkeit nicht bestreiten, daß es den Absichten Giottos entspräche, also nach erhaltenen Resten richtig ergänzt wäre.

S. 6. Nr. 1. Ernst Förster a. a. O. (vgl. Anmerkung 11) sagt: „Erhalten mit Ausnahme der blauen Gewänder, was für alle folgenden Bilder gilt." Die Geschichte von Joachim und Anna erzählt Giotto nach den apokryphen Evangelien. Man vgl. dafür z. B. Rudolph Hofmann, Das Leben Jesu nach den Apokryphen, Leipzig 1851.

S. 7. Nr. 2. Joachim kommt zu seinen Herden und zu seinen Hirten im Gebirge. Er fastete vierzig Tage und vierzig Nächte und blieb fünf Monate lang aus, so daß auch Anna, sein Weib, nichts von ihm hörte.

S. 8. Nr. 3. Förster: „Erhalten; von fremder Hand." Für Förster gelten offenbar die Bilder, die ihm nicht gefallen, als von „fremder Hand". — Anna betet zu Gott um Joachim, den sie fünf Monate nicht gesehen. Sie gelobt, ihr Kind dem Herrn zu weihen, wenn er sie segnen wolle. Da erscheint der Engel und verkündet ihr, daß sie fruchtbar sein werde. Sie solle sich aufmachen, denn an der goldenen Pforte werde sie Joachim wieder finden. Erschüttert über dieses Gesicht, legt sie sich auf ihr Bett, die Magd aber bleibt vor der Tür und will nicht zu ihr hineingehen.

S. 10. Nr. 5. Der Engel erscheint dem Joachim im Traum und befiehlt ihm die Rückkehr zur Stadt, wo er an der goldenen Pforte Anna finden werde. Die Haltung des schlafenden Joachim entstammt dem „Gebet in Gethsemane", wo die Stellung des Schlummerns hockend, halb sitzend, halb liegend, vornübergesunken schon sehr früh ausgebildet worden ist.

S. 11/12. Nr. 6. Förster: „Vollkommen erhalten."

S. 13. Nr. 7. Förster: „Von fremder Hand. Leidlich erhalten." — Das Verfahren Bottis, die gelockerten Teile des Bewurfes festzulegen, bestand darin, daß er stückweise das Gefährdete mit Leinwand überklebte und so den Bewurf ablöste. Mit einem Bindemittel wurde das Stück dann auf den Untergrund wieder aufgebracht und gefestigt. So entstanden jene Nähte, die hier am Giebel (wie an vielen Stellen der Arena) erkennbar sind. Am zahlreichsten an den Fresken der Tribuna, die am meisten gelitten hatten, denn 1880 war die Tribuna dem Einsturz nahe.

S. 14/15. Nr. 8. Förster: „Von fremder Hand; erhalten."

S. 16. Nr. 9. Förster: „Die alten Köpfe übermalt oder von fremder Hand; sonst erhalten."

S. 18/19. Nr. 11. Förster: „Sehr beschädigt; auch wohl fremde Hand." — Der Freier hinter Joseph will eben den symbolischen Schlag auf den Rücken des Bräutigams tun. Ein anderer zerbricht mißmutig seinen Stab über dem Knie. — Die Taube ist eine Erinnerung an den folgenden Zug der Legende: „Bringe die Ruthen aller herein in das Allerheiligste; ... und aus der Spitze einer Ruthe wird eine Taube hervorkommen und zum Himmel fliegen; in wessen Hand aber die zurückgegebene Ruthe dies Zeichen geben wird, dem soll Maria gegeben werden." R. Hofmann, a. a. O., S. 53.

S. 20. Nr. 12. Förster: Dasselbe wie zu Nr. 11. — Joseph tritt in dieser Szene nicht auf, da keine der männlichen Figuren einen Nimbus trägt. — Gemäß der Legende geht Maria nach der Verlobung mit sieben Jungfrauen, die sie vom Hohenpriester erhalten hatte, zum Hause ihrer Eltern nach Galiläa. Daher auch bei Giotto die Siebenzahl der Begleiterinnen.

S. 21—23. Nr. 13. Förster: „Ganz übermalt." — Maria trägt die tiefrote, reichgestickte, ärmellose Tunika über weißem Unterkleide im dritten Gesang und in den Szenen, die ihn einleiten. Auch als Führerin der Heiligen im Jüngsten Gericht erscheint sie in diesem Kleide, trägt darüber einen kostbaren, pelzgefütterten Mantel. In den Gemälden der Arena hat nur Maria dieses Gewand, das in den Bildern, in denen sie als Braut auftritt, ganz weiß und ohne Schmuck ist. So läßt es sich schwerlich bezweifeln, daß sie es ist, der Enrico das Modell weiht, sie überragt um eine halbe Haupteslänge die beiden Heiligen neben ihr und wird zudem durch eine besonders fein und zierlich gearbeitete Krone gekennzeichnet, unter der ein dünner Schleier liegt und bis auf die Schultern zart herabfällt. Die Gestalt an ihrer rechten Seite ist ohne Krone in schlichtem weißem Gewande und rosa Mantel, den Farben, die Gabriel in der Verkündigung trägt. Daß die Flügel nicht sichtbar gemacht werden konnten, ist durch seine Stellung neben und hinter Maria bedingt. Seine einfache Gewandung entspricht jener der Verkündigung. Es läßt sich erkennen, daß er die Hände über der Brust kreuzt, offenbar wie jene beiden Engel zu Seiten des Thrones Gottvaters, die demütig seine Befehle erwarten (Nr. 39). Die dritte Gestalt streckt ihre linke Hand dem Stifter entgegen, während sie die rechte auf das Dach des Kirchenmodelles legt, als ob sie Besitz ergriffe. Sie ist eine Heilige, trägt ein einfacheres Diadem ohne Schleier. Daß sie zur Arena etwa als Nebenpatronin eine enge Beziehung haben muß, steht außer Zweifel, doch ist aus den Gemälden ein Anhalt für ihren Namen nicht zu gewinnen. — Moschettis Bemerkungen zur Deutung der drei Gestalten (a. a. O., S. 60 f.) sind merkwürdig. Da Enrico die Kapelle ursprünglich der Sta. Maria della Carità geweiht wissen wollte, nennt der Gelehrte die mittlere Gestalt Caritas, und folgert daraus — und aus der Farbenfolge weiß, rot, grün —, daß die drei theologischen Tugenden dargestellt seien, die sich unter den Grisaillen in ganz anderer Gestalt finden. Dann aber beobachtet er, daß diese Caritas das Gewand der Maria als Führerin der Heiligen trägt. Also schließt er, daß sie nicht nur die Caritas, sondern zugleich Sta. Maria della Carità verkörpere, zu deutsch „Unsere liebe Frau der Barmherzigkeit". Daran scheint mir einzig die Beobachtung richtig und sinnvoll zu sein, daß die mittlere Heilige wie Maria gekleidet ist. Hätte man hier wirklich die drei Tugenden zu sehen, so bliebe es ganz unerklärt, warum die dritte ohne Diadem ist. — Es ist einer der feinen Züge, deren man in der Arena so viele findet, daß Maria das festlich kostbare Gewand dann erst wieder erhält, als sie gekrönt und, von allem Leide befreit, dem Sohne vereint ist. Wie wenn es eine Erinnerung an die für die Mutter doch glückliche Zeit seiner ersten Kindheit wäre. Übrigens hat sich Moschetti später selbst zum Teil berichtigt (A. Moschetti, Padova, Italia artistica Nr. 65, Bergamo 1912, S. 38), denn er spricht hier von der „Jungfrau und zwei weiblichen Heiligen". — Erst nachdem diese Zeilen bereits gesetzt waren, konnte ich Supinos Giotto-Buch einsehen (Florenz 1920). Auch er hat Gabriel wiedererkannt, sieht aber in der mittleren Figur die Himmelskönigin, in der anderen die Annunziata. Das Auftreten Marias im Sinne Moschettis oder Supinos sozusagen sub utraque forma ist ohne Beispiel und scheint gerade in dieser Szene aus mittelalterlichem Geiste heraus schwer denkbar.

S. 24. Nr. 14. Förster: „Großenteils übermalt."

S. 25. Nr. 15. Förster: „Sehr beschädigt." — Nach Selvatico (Cappellina d. Scrovegni, Padova 1836, S. 82) war das Bild damals zum großen Teil nachgedunkelt und verdorben, doch war Joseph gut erhalten und hob sich durch die Kraft der Farbe heraus.

S. 26/27. Nr. 16. Förster: „Sehr beschädigt; fremde Hand."

S. 28/29. Nr. 17. Förster: „Ganz erhalten." — Maria trägt hier einen lichtgrünen Mantel. Spuren des Blau sind noch erhalten, doch ist dies lichte Grün schwerlich die ursprüngliche Untermalung, ebensowenig wie in Nr. 18.

S. 30/31. Nr. 18. Förster: „Voll Staub." — Selvatico (a. a. O., S. 32) sagt, die Flucht sei „vielleicht" übermalt, später (S. 82) empfindet er Zweifel. „Die Farbe ist so verschleiert (annebbiato) und dunkel, die Zeichnung so vernachlässigt, die Gesichtszüge sind so wenig gewählt, daß gerechter Zweifel bleibt, ob es ein Werk des Meisters sei." — Ein merkwürdiges Urteil, wenn der heutige Zustand des Freskos mit dem von 1836 übereinstimmt.

S. 32/33. Nr. 19. Förster: „Sehr beschädigt."

S. 34. Nr. 20. Förster: „Überschmiert." — Selvatico (a. a. O., S. 82) fand das Fresko durch die Salpeterausscheidungen der Mauer so verdorben, daß er es für verwegen hielt, ein Urteil abzugeben. — 1880/81 wurde es (ebenso wie die darunter befindliche Nr. 32) ganz von der Wand gelöst, besonders gefaßt und so wieder angebracht, daß die Rückseite des Bildes von der kranken Mauer durch eine Luftschicht getrennt bleibt.

S. 35. Nr. 21. Es ist merkwürdig und auffallend, daß der greise Jünger rechts den Typus des Andreas hat und auch seine Gewandfarben trägt. Vielleicht in Beziehung zu Joh. I, 40.

S. 37/38. Nr. 22. Förster: „Von fremder Hand; erhalten bis auf einige Gewänder." — Der Kopf Christi, des Bräutigams und des Andreas sind offenbar übermalt.

S. 39/40. Nr. 23. Förster: „Erhalten, bis auf einen Kopf."

S. 41. Nr. 24. Förster: „Schlecht erhalten; wahrscheinlich von fremder Hand."

S. 42/43. Nr. 25. Förster: „Von fremder Hand; nicht gut erhalten; teilweis übermalt." — Die letzte Beobachtung wird zutreffen für den Kopf Christi, für Petrus und die Jünger hinter ihm. Der Kopf Christi ist offenbar ganz neu gemalt. Man sieht den Bart zweimal. Der Kopf war wohl mehr nach vorn geneigt. Vor Stirne und Nase, die Profilierung der Tempeltür überschneidend, Reste des ehemaligen Nimbus?

S. 44. Nr. 26. Förster: „Übermalt."

S. 45/46. Nr. 27. Das Bild ist von Übermalung nicht frei, wie der Kopf des Philippus beweist, bei dem die Überschneidung durch die dünne Säule vom Restaurator einfach verleugnet wurde.

S. 47/49. Nr. 28. Förster: „Von fremder Hand; beschädigt."

S. 50/51. Nr. 29. Der fliehende Jünger, der sein Gewand in der Hand des Häschers läßt nach Marcus XIV, 51/52. In ihm pflegt man den Verfasser des Evangeliums selbst zu sehen.

S. 52/53. Nr. 30. Förster: „Von fremder Hand; wenig erhalten." — Der Offizier, der den Schlag führen will, ist in gelbbraunem Lederkoller oder Panzer und halblangem rotem Mantel, wie in Nr. 29. Der Mann mit der Fackel in bräunlichgrauem Wams ist nach Typ und Gewandfarbe derselbe, der auf Nr. 29 rechts hart am Bildrand steht. Wie eng werden beide Bilder so aneinander gebunden. Es ist Nacht, die Fensterläden sind geschlossen.

S. 58. Nr. 32. Förster: „Von fremder Hand; sehr beschädigt und übermalt." — Selvatico sagt nichts über den Erhaltungszustand.

S. 59/61. Nr. 33. Förster: „Erhalten, mit Ausnahme einiger Gewänder." — Das Bild hat viele Nähte.

S. 62/64. Nr. 34. Förster: „Mit Ausnahme von ein paar Gewändern gut erhalten." — Selvatico (a. a. O., S. 99) erklärt dies für das am besten erhaltene Bild und sagt sehr hübsch, daß es mit seiner Schönheit sogar über die unerbittliche Zeit gesiegt habe. — Der Kopf des Joseph von Arimathia ist übermalt.

S. 65/66. Nr. 35. Förster: „Gut erhalten." — Die Kronen der beiden Bäume links sind unter dem Blau verschwunden. — Wie die Szene des Noli me tangere in einem Tafelbild des Dugento aussieht, zeigt die Textabbildung S. XXXIII. Wie Giotto das Erbe der Vergangenheit gemehrt hat, ist an dieser Gegenüberstellung besonders deutlich erkennbar.

S. 67/69. Nr. 36. Förster: „Desgleichen." — Vgl. Einleitung, S. XXV.

S. 70. Nr. 37. Förster: „Desgleichen." — Vgl. Einleitung, S. XXV.

S. 71/81. Nr. 38. Förster (a. a. O., S. 255 Note): „Das Gewand Christi ist übermalt; die Schar der Heiligen sehr beschädigt; alles übrige aber wohl erhalten; die Hölle wohl von fremder Hand." — Vgl. auch Aldo Forratti im Boll. d' Arte, I (1921/22), S. 1 ff. Selvatico (a. a. O., S. 32) hat bei einigen Teilen des Jüngsten Gerichtes Übermalungen beobachtet, doch bezeichnet er sie nicht näher. Anderseits hält er das Bild zum größten Teil für Schülerarbeit (S. 71). Brandolese (Pitture... di Padova, Padova 1795, S. 213) berichtet, daß die Hölle mit einem Vorhang verdeckt wurde. Es geschah offenbar, weil man an den Darstellungen des Nackten und an deren Inhalt Anstoß nahm. — Der ganz rechts sitzende Apostel trägt Typus u n d Farben des Judas, kann also nur der Ersatzjünger für den Selbstmörder sein, nämlich Matthias. Duccio gibt dem Matthias dagegen nicht den Typus, wohl aber die Gewandfarben des Judas. Übrigens ist es unrichtig, wenn Moschetti unter den zwölf Aposteln auch die vier Evangelisten finden will. Matthäus und Johannes erscheinen hier als Apostel, ob zwar Johannes den Alterstypus des Evangelisten trägt. Markus und Lukas fehlen also. Die Evangelisten haben an anderer Stelle der Arena ihren Platz erhalten (Nr. 64, 65, 75, 76). (Vgl. auch die Bemerkung zu S. 21—23.)

S. 82/83. Nr. 39. Die Gestalt des thronenden Gottvaters ist auf eine Holztür gemalt, die zu dem Dachraum der Tribuna führt. Das Gemälde ist sehr verdorben. — Übrigens wird die Gestalt von Broussolle (Les fresques de l'Arène à Padoue, Paris 1905, S. 83) auf „Christus in der Glorie" oder auf den „Triumph Christi im Himmel" gedeutet.

S. 84. Nr. 40. Die „Klugheit" sitzt auf dem Katheder des Gelehrten. In der Linken den Spiegel, mit dem sie sich selbst betrachtet, in der Rechten den Zirkel, das Sinnbild gerechten Maßes. Sie ist doppelgesichtig und trägt statt des Hinterkopfes das Antlitz eines älteren bärtigen Mannes, angeblich des Sokrates. — Vgl. die S. Prudentia in Assisi (Abb. 161). — Unter den Bildern der allegorischen Figuren sieht man Reste von erläuternden, lateinischen Inschriften. Moschetti (a. a. O., S. 120) hat einige entziffert, das meiste ist nur in unverständlichen Bruchstücken erhalten.

Nr. 41. Die „Tapferkeit" im Fell des nemeischen Löwen, den Herkules bezwang. Sie trägt den Panzer, in der Rechten die dreikantige Eisenkeule, in der Linken hält sie den gewaltigen Schild, an dem Lanzen und Pfeile zerbrechen.

S. 85. Nr. 42. Die „Mäßigung" hat sich selbst die Trense angelegt. Sie hält das Schwert gebunden in der Scheide.

Nr. 43. Die „Gerechtigkeit" ist gekrönt und sitzt auf dem Thron der Könige. Vor ihr hängt die Wage von einem kaum noch sichtbaren Wandarm herab, in ihrer rechten Hand die Schale mit einem Engel, der einen Kranz dem Haupte des fleißigen Arbeiters reicht, in ihrer linken die Schale mit dem Henker, der den Bösen enthauptet. Justitia hält beide Schalen abwägend in gleicher Höhe. Wo sie Herrscherin ist, kann die Freiheit sich entfalten, kann der Vornehme auf der Falkenjagd, kann die Jugend beim Tanz sich ergötzen, kann der Kaufherr mit seinem Diener ungehindert auf der Reise sein. — Die Vergleichung des Thronbaues mit dem der Madonna aus Ognissanti (Abb. S. 116) ist nützlich.

S. 86. Nr. 44. Der „Glaube" trägt eine Mitra und das an vielen Stellen zerrissene Gewand der Armut; in der Linken die Rolle mit dem Credo, in der Rechten den Stab mit dem Kreuz, den Fides auf ein gestürztes und zerbrochenes Götterbild setzt. Unter ihren Füßen Tafeln mit kabbalistischen und astrologischen Geheimzeichen, wodurch die Überwindung der Ketzerei und des Aberglaubens versinnlicht wird.

Nr. 45. Die „Liebe" reicht mit der Linken Gottvater ein Herz dar und hält in der Rechten eine Schale mit Blumen und Früchten. Von ihrem Haupt gehen, gleich einem Nimbus, drei rote Flammen aus. Sie ist erhaben über irdisches Gut, darum sind die Geldsäcke unter ihren Füßen.

S. 87. Nr. 46. Die „Hoffnung" aufschwebend nach der Krone, die ein Engel ihr herabbringt. Giotto hat hier wohl als Vorbild an eine antike Nike gedacht.

Nr. 47. Die „Verzweiflung" als Selbstmörderin, die noch im Tode die Fäuste zornig ballt. Ein Teufel holt ihre Seele.

S. 88. Nr. 48. Der „Neid", eine alte Vettel mit Hörnern und gespitzten Wolfsohren, den Kennzeichen höllischer Abkunft. Aus ihrem Munde kriecht eine Schlange und wendet sich beißend auf die Alte zurück. Sie hat Vogelkrallen an den raublüstern gekrümmten Händen, hält habgierig den Geldbeutel umklammert und steht im zehrenden Feuer.

Nr. 49. Der „Unglaube" schwankt, halbgeschlossenen Auges und unsicheren Schrittes von seinem selbstgeschaffenen Götzenbild am Zaum geleitet, dem höllischen Feuer zu.

S. 89. Nr. 50. Die „Ungerechtigkeit" sitzt als bärtiger Mann im erborgten Gewande des Richters vor einem zinnengekrönten Stadttor, dessen angrenzende Mauern von Sprüngen zerrissen und zum Teil schon verfallen sind. Die Linke am Schwertgriff, die mit Vogelkrallen bewehrte Rechte hält den Enterhaken. Vielleicht deuten die Bäume die unwegsame Waldeswildnis an, in der, wenn die Ungerechtigkeit regiert, Raub, Mord und Vergewaltigung um so dreister ihr Wesen treiben. Anstatt des Jagdzuges sieht man hier Soldaten in den

Kampf ziehen. Es ist bemerkenswert, wie diese Szenen denen unter der Justitia als Gegensätze gegenübergestellt sind. Überhaupt ist es notwendig, die „Tugenden" und „Laster" auch als Gegensatzpaare zu betrachten.

Nr. 51. Der „Zorn", ein Weib mit gemeinen Gesichtszügen und vor Wut aufeinander gebissenen Zähnen zerreißt sich, seiner selbst nicht mächtig, das Gewand.

S. 90. Nr. 52. Die „Unbeständigkeit", ein junges Weib, sucht auf dem rollenden Rade das Gleichgewicht balancierend zu halten (gleich der Fortuna). Ein rascher Wind reißt ihren Mantel empor.

Nr. 53. Die „Torheit" als halbnackter Mann in zerrissenem, phantastischem Kleide, das vielleicht Vogelgefieder darstellen soll. Ein Kopfschmuck von Federn, daran die Narrenschellen, die er auch am Gürtel trägt, eine Keule in der Rechten, mit der er die Wand zertrümmern zu wollen scheint. — Vermutlich 1826, als der Palazzo Scrovegni abgerissen wurde, hat man die Verbindungstür zur Kapelle zugemauert. Um die Symmetrie der Sockeldekoration herzustellen, kopierte man die Stultia (vgl. das Schema S. 4/5; „Kopie") und deckte das Original mit Marmorierung entsprechend den anderen Feldern. Bertolli hat 1880—1881 das Original wieder freigelegt und auch die beiden allegorischen Figürchen in den Zwickeln der Supraporte. Die Kopie ließ man bestehen.

S. 91. Nr. 54. (Für Nr. 54—58 siehe auch S. 96). Die Aufrichtung der ehernen Schlange als Gegensatz zur Kreuzigung (Nr. 33). — Die kleinen Bildchen stehen in typologischem Zusammenhang zu den rechts von ihnen befindlichen Fresken. Für Nr. 54, 55, 57, 58, 62 kann man die Parallelen auch in der Biblia pauperum finden. Vgl. z. B. Hans von der Gabelentz, die Biblia pauperum und Apokalypse der Großherzoglichen Bibliothek zu Weimar, Straßburg 1912, S. 12 ff.

Nr. 55. Jonas vom Walfisch verschlungen als Parallele zum Tode des Herrn (Nr. 34); das Gegenstück: Jonas wird vom Walfisch wieder aus und ans Land gespien, häufig als Parallele zur Auferstehung. (Beim Druck wurde das Klischee versehentlich falsch eingesetzt.)

S. 92. Nr. 56. Im alten typologischen Zusammenhang als Parallele zur Auferstehung (Nr. 35), die Löwin, die mit ihrem heißen Atem ihre (drei Tage alten) schlafenden Jungen zum Leben erweckt.

Nr. 57. Elias auf dem feurigen Wagen als Parallele zur Himmelfahrt Christi (Nr. 36).

S. 93. Nr. 58. Der alte Bund als Parallele zum neuen Bunde, der Ausgießung des heiligen Geistes (Nr. 37).

Nr. 59. (Für Nr. 59—63 siehe auch S. 97.) Hier ist nicht die Beschneidung Christi, sondern die Beschneidung als religiöser Ritus dargestellt, da das Kind keinen Nimbus trägt. Nach Moschetti (a. a. O., S. 68) wird hier die Bluttaufe der Wassertaufe, d. h. der Taufe Christi, entgegengesetzt (Nr. 21).

S. 94. Nr. 60. Das Quellwunder des Moses als Parallele zur Verwandlung des Wassers in Wein auf der Hochzeit zu Kana (Nr. 22).

Nr. 61. Die Erschaffung Adams als Parallele zur Erweckung des Lazarus (Nr. 23). Bemerkenswert, daß nicht Gottvater, sondern Christus (nach Kopftypus und Kreuznimbus) hier erscheint.

S. 95. Nr. 62. Moschetti (a. a. O., S. 68) deutet die Szene willkürlich „ein Greis schenkt seinen Mantel den Armen", als eine Symbolisierung der Mildtätigkeit, die sich des Gewandes entäußert, wie beim Einzug in Jerusalem (Nr. 24) das Volk dem Herrn seine Kleider hinbreitet. — Die oben von mir gegebene Deutung entspricht dem mittelalterlichen typologischen Zusammenhang mit dem „Einzug" in Beziehung auf 2. Könige, II 15. Vgl. die Anmerkung zu Nr. 54.

Nr. 63. Michaels Kampf mit dem Satan, als Parallele zur Vertreibung der Wechsler und Händler (Nr. 25).

S. 98. Nr. 64. Es ist wohl kein Zufall, daß in den unteren Vierpässen dieser Eckfelder (Nr. 64, 65, 75, 76) die vier Kirchendoktoren dargestellt sind, gleichsam als Ecksteine der gesamten Heiligenhierarchie, die in den Medaillons vorgeführt wird. In den Heiligen der oberen

Vierpässe hat man wohl die vier Evangelisten zu sehen. Obgleich die Attribute fehlen, lassen doch die Kopftypen eine solche Deutung zu.

S. 99. Nr. 66. Nicht benennbar; bildet mit Nr. 67, 77, 78 die Reihe der Eckfelder innerhalb des mittleren Bilderstreifens, es sind die einzigen weiblichen Heiligen, die in den Medaillons erscheinen, drei von ihnen sind gekrönt.

S. 100—106. Nr. 68—74 und 79—85, die Reihe der Heiligen innerhalb der oberen Bilderstreifen enthält 19 Halbfiguren, unter ihnen sind mehrere als Apostel erkennbar.

S. 101. Nr. 73. Das folgende Eckfeld (Nr. 74, nicht abgebildet) enthält nur eine Halbfigur (oben); statt der unteren ein Holzgitter in einer Maueröffnung. Hier konnte man vom oberen Stockwerk des Palazzo de' Scrovegni dem Gottesdienst beiwohnen.

S. 111. Nr. 92. Auf dem Spruchband Daniel, VI, 26.

       Nr. 93. Auf dem Spruchband Baruch, III, 36.

S. 112. Nr. 94. Auf dem Spruchband Maleachi III, 1; die Weissagung auf die Darstellung im Tempel.

       Nr. 95. Auf dem Spruchband, Jesaias VII, 14; die Weissagung auf die Geburt Christi.

S. 113/115. Nr. 96—106 und 107—117, die beiden Deckengurten, jene über dem Jüngsten Gericht und die Mittelgurte enthalten vorwiegend gekrönte Heilige. Man hat in ihnen wohl die Vorfahren Christi zu sehen.

S. 115. Nr. 124—128. Die Deckengurte über der Triumphbogenwand enthält Heilige abwechselnd mit Engeln. Nr. 124 vielleicht Simeon.

S. 116—123. Das Bild wird mit der von Ghiberti in Ognissanti genannten Madonnentafel identifiziert; ehemals in der Akademie, seit der Neuordnung der Florentiner Galerien (1919) in den Uffizien. Im ganzen gut erhalten, verhältnismäßig wenig durch Wiederherstellung verändert. (Vgl. dazu die Bemerkung bei Crowe und Cavalcaselle, ed. Jordan, I [1869], S. 256.) Die Madonna wurde früher vor die Paduaner Fresken gesetzt (so neuerdings wieder Supino, Giotto, Florenz 1920), Rintelen: „noch etwas vor 1310", jedenfalls „bestimmt" vor 1315, weil Simone Martini in seiner Maestà (Siena, Pal. Pubblico) „einzelne Motive unzweifelhaft aus Giottos Bilde übernommen hat" (Rintelen, a. a. O., S. 109). Er hält es allerdings nicht für nötig, diese zuerst von Thode ausgesprochene Ansicht zu begründen. — Ohne mir der Meinung Thodes bewußt zu sein und ohne Rintelens Überzeugung kennen zu können, bin ich seinerzeit (Duccio, Leipzig 1911, S. 200 Note) zu dem entgegengesetzten Ergebnis gekommen, in dem ich mich heute, nach neuer Beschäftigung mit diesen Fragen, nur bestärkt fühle, nämlich, daß Giottos Madonna irgendwie von Simones Maestà abhängig sei. Wir wissen, wie in Duccios Werk die im Vordergrund knienden Figuren schon früh eine Rolle spielen, seine Maestà (1308—10) hat das Motiv in der großen breiten Altartafel ganz ausgebildet, Simone es, und hier ist das „unzweifelhaft" gewiß berechtigt, aufgenommen. Er setzt den knienden Stadtpatronen zwei kniende Engel vor, die blumengefüllte Schalen mit beiden Händen zur Madonna emporhalten. „Die englischen Blumen, die Rosen und Lilien" werden sozusagen in Vertretung der Stadtpatrone von Engeln der Madonna als zarte Gabe dargebracht. Die Himmelskönigin nimmt diese Gabe an, doch nicht ohne eine Mahnung, wie sie die beigesetzten Verse aussprechen, die eben auf die Blumen Bezug nehmen. Es sind also gerade diese Blumen darbringenden, knienden Engel dem ganzen Sinn des Bildes eng verbunden. Innerlich und äußerlich kann ein Gemälde nicht leicht sienesischer gedacht und empfunden sein. Die Madonna Rucellai, die heute doch wohl allgemein wenigstens für sienesisch gehalten wird, hat die knienden Engel, ohne daß man sagen könnte, das neue Motiv sei in Florenz auf fruchtbaren Boden gefallen. Es gibt, sehe ich recht, kein florentinisches Bild vor der Madonna Giottos, das kniende Engel enthielte. (Die „Rosen und Lilien" haben gewiß literarischen Ursprung.) Die beiden Engel bei Giotto halten in ihren Vasen ebenfalls Rosen und Lilien, etwas zaghaft und mit sienesischen Augen gesehen allzu nüchtern, vor sich hin, mit dem ein wenig trockenen Aufblick zur Madonna. Mit den freien Armen wissen sie nicht viel anzufangen und von der verzehrten Hingabe ihrer sienesischen

Geschwister haben sie nichts. Das Darreichen von Blumen wird man in Giottos Bilde nicht als einen Zug empfinden können, der dem Inneren des künstlerischen Gedankens ganz eng und notwendig verknüpft wäre. Giottos Madonna ist eben auch eine Maestà, und es sind nicht nur die Engel, die den Zusammenhang mit Simones Fresko herstellen, mehr noch die Erinnerung an das Breitbild, die in Giottos Tafel deutlich hervorschimmert.

S. 124—140. Die Fresken der Cappella Peruzzi und Bardi, wohl auch die der anderen Kapellen, scheinen zwischen 1677 und 1754 übertüncht worden zu sein. 1841 ließ die Familie Peruzzi die Fresken ihrer Kapelle freilegen und wiederherstellen, zunächst den Tanz der Salome, dann auch die Himmelfahrt des Johannes. Die Arbeit wurde von dem Maler Antonio Marini gemacht. 1863 legte Gaetano Bianchi den Rest der Bilder und die der Cappella Bardi frei und stellte sie wieder her. Allein die Worte Guastis (C[esare] G[uasti], Gli affreschi di Giotto nella Cappella Bardi, Firenze 1853 S. 7; wieder abgedruckt in C. Guasti, Opuscoli, Firenze 1874 S. 15 ff.) würden hinreichen, uns dem heutigen Aussehen der Fresken gegenüber bedenklich zu stimmen. Guasti sagt nicht nur, Bianchi habe die Fresken erneuert, er sagt, Bianchi habe sie an manchen Stellen neu malen müssen, „sia accorso di fare a nuovo". Sehr vorsichtige Kritiker reden darum gegenüber den Fresken in Sta. Croce nicht mehr von Giotto, sondern von Arbeiten der Maler Bianchi und Marini. — Teile der Fresken müssen ganz neu gemalt worden sein, da Guasti von Marmorgrabmälern spricht, die in der Cappella Bardi eingemauert waren und natürlich die Fresken an diesen Stellen ganz zerstört hatten. Es ist in der Tat fast unmöglich, die eigene Hand Giottos in den Wandbildern wiederzuerkennen; an einzelnen Stellen scheint der ursprüngliche Bestand weniger durch die Restaurierung geschädigt, im ganzen genommen bleibt für kritische Verwertung nicht mehr als die Komposition der Bilder übrig. In der Cappella Tosinghi-Spinelli, die der Himmelfahrt Mariae geweiht war, es ist die erste links vom Chor, hatte Giotto, wie Ghiberti berichtet, die Geburt der Maria, die Verkündigung, die Vermählung der Maria, die Anbetung der Könige, die Darstellung im Tempel, und den Tod der Maria gemalt. Vielleicht darf man den Marientod in Berlin (Abb. S. 185) als einen Nachklang dieses Freskos auffassen. Über dem Eingang der Kapelle ist in sehr übermaltem Zustande die Himmelfahrt Mariae erhalten geblieben. Vgl. dazu Rintelen, a. a. O., S. 147 und Note. Über die Szenen aus der Franz-Legende vgl. die entsprechenden Erläuterungen zu der Freskenreihe in Assisi (Abb. S. 143 ff.).

S. 127. Dargestellt ist das Gesicht des heiligen Johannes auf Patmos nach der Apokalypse. Rechts das Weib mit dem mystischen Kinde (XII, 1 ff.), „Bekleidet mit der Sonne und der Mond unter ihren Füßen". „Der große rote Drache", dringt auf sie ein und will das Kind fressen. Links auf einer Wolke des Menschen Sohn mit der Hippe (XIV, 14), neben ihm der Engel mit der scharfen Hippe, „der die Trauben auf der Erde schneiden soll, denn die Beeren sind reif". Unten rechts und links die Engel mit den vier apokalyptischen Tieren.

S. 128. In dem Kuppelbau kann man eine Erinnerung an S. Antonio in Padua sehen.

S. 131. Vgl. die folgende Bemerkung.

S. 140. Nach Guasti (a. a. O., S. 35) ist die Figur des heiligen Ludwig von Frankreich bei der Wiederherstellung durch Bianchi ganz neu gemalt worden. Daraus kann man schließen, daß auch die anderen Figuren der Fensterwand sehr gelitten haben müssen. Die starke Restaurierung können sie nicht verbergen. Nach Guasti sind ebenso der hl. Franz am Gewölbe und die Medaillons der Evangelisten und Kirchendoktoren an den Leibungen „una molto felice imitazione" Bianchis (a. a. O., S. 36).

S. 141. Eine von M ü n t z veröffentlichte Zeichnung der Ambrosiana in Mailand (Mélanges d'Archéologie et d'Histoire, 1881, I 129, Taf. III; Abb. auch bei Z i m m e r m a n n, Giotto I [1889], S. 403) gibt das vollständige Fresko.

S. 143—158. In der Chronik des Riccobaldus von Ferrara († 1319 oder 1320), der sogenannten Compilatio chronologica, die mit dem Jahre 1313 endet, wird ganz allgemein von Arbeiten

Giottos in San Francesco zu Assisi gesprochen. Des Riccobaldus Notiz kann auf die Franz-Legende bezogen werden, doch ist ihr urkundlicher Wert zweifelhaft, weil spätere Einschiebung von Zusätzen nicht ausgeschlossen ist. (Vgl. darüber Milanesi in seiner Ausgabe der Vite Vasaris I [1878], S. 392 Note, und Rintelen, a. a. O., S. 152 ff.) Ghiberti sagt: „Dipinse nella Chiesa di Asciesi, nell' ordine de' Frati Minori, quasi tutta la parte di sotto." Dies kann man, da die Kirche als Ganzes genannt wird, nur auf die Unterkirche beziehen. So enthält die Bemerkung einen auch noch heute als richtig erkennbaren Kern, denn zwar nicht Giotto, wohl aber seine Schüler, haben einen beträchtlichen Teil der Unterkirche ausgemalt. Vasari (a. a. O., S. 377) spricht als erster von der Franz-Legende als einem Werk Giottos. Seine Autorität ist für alle späteren maßgebend gewesen. Den Ruhm dieser Fresken hat aber erst das im 19. Jahrhundert sich neubelebende Interesse für den Poverello begründet, vor allem Thodes begeisterte Bewunderung gegenüber der Franz-Legende als einem Jugendwerke Giottos. „Hätte ein Anderer als dieser die Bilder gemalt, so wäre eben dieser Andere der Begründer der neueren Kunst und von Giottos größtem Ruhm bliebe wenig übrig mehr." So prüft Thode auch gar nicht die Frage, wie es um die urkundliche Begründung der Autorschaft Giottos stehe und nimmt auch alle 28 Fresken für Giotto selbst in Anspruch. (Thode, Franz von Assisi, Berlin 1904, S. 115.) In Wahrheit ist, wie wir sehen, die urkundliche Sicherung ganz zweifelhaft; Zahlungsnachweise oder Ähnliches fehlen. So blieb nur, die Fresken stilkritisch zu untersuchen, was nur geschehen kann, indem man die aus den gesicherten Werken Giottos gewonnenen Erkenntnisse folgerichtig auf die Wandbilder der Oberkirche anwendet. Nimmt man sie als Jugendwerk Giottos, das vor der Arena entstanden sei, so ist die Schwierigkeit besonders groß, weil man von der Arena nach rückwärts einen frühen, vorpaduanischen Stil konstruieren muß, während man, nimmt man die Franz-Legende als nachpaduanisch, doch einen gesicherten Ausgangspunkt in der Arena hat. Die stilkritische Untersuchung ist mehrfach gemacht worden, so von Wulff (Rep. f. Kunstwissenschaft XXVII [1904], S. 221 ff. und S. 308 ff.), von Rintelen, von Schmarsow („Die Kompositionsgesetze der Franz-Legende . . .", Leipzig 1918) und anderen. Hindernd ist dabei der traurige Erhaltungszustand, da die Fresken an sich durch die Zeit sehr gelitten haben und mehrmals gereinigt und restauriert worden sind. In den 1860er Jahren müssen sie sich in höchst bedrohtem Zustand befunden haben, und über die Restaurierung nach 1870 ist seinerzeit manche Klage laut geworden. (Vgl. Supino, a. a. O., S. 160 ff.) Hier kann nicht ausführlich von der Wandlung gesprochen werden, der die kritische Einstellung der Forscher zur Franz-Legende unterworfen gewesen ist. (Vgl. dazu den wichtigen Abschnitt bei Rintelen, a. a. O., S. 150 ff. und Bemerkung 150.) Der Standpunkt Thodes wird heute von keinem Gelehrten mehr geteilt, denn alle stimmen darin überein, daß Nr. 26—28 abgetrennt werden müssen und nicht für Giotto selbst gelten können. Man schreibt sie heute dem Cäcilienmeister zu (vgl. die Literatur über ihn bei van Marle, a. a. O., S. 276), mit dessen Stil sie in der Tat eine nahe Verwandtschaft haben. Am entschiedensten ist Rintelen in der Ablehnung Giottos; die sorgfältige Begründung seiner Ansicht hat ihre reinigende Wirkung getan und manche Gelehrte, die früher Giotto in der Franz-Legende finden wollten, haben ihre Ansicht geändert, auch August Schmarsow (a. a. O.), während Wulff (Jahrb. d. preußischen Kunstsammlung XXXVII [1916], S. 91), wie er mir liebenswürdigerweise mitteilt, auch heute noch an Giotto festhält. Man hat schließlich einen Kompromiß gesucht und gefunden, in dem man die ganze Reihe der Fresken verschiedenen Händen gibt, um wenigstens einen Teil für Giotto zu retten. Nur um z. B. eine „Meinung" anzuführen, sei van Marle erwähnt, der Nr. 1—19 für Arbeit Giottos hält, 20—24 einem Schüler des Meisters (demselben, von dem die Stigmatisation im Louvre [Abb. S. 184] stamme), 25—28 dem Cäcilienmeister gibt. — Hier braucht nur die Frage erörtert zu werden, ob die Franz-Legende ein Werk Giottos sei. Der Herausgeber teilt im wesentlichen die Meinung Rintelens, ohne seine eigene Auffassung an dieser Stelle begründen zu können. Doch sei versucht, die wichtigsten Punkte kurz hervorzuheben. Der Ruhm der Franz-Legende ist durch eine romantische Bewunderung übersteigert worden, und hält einer kühlen kritischen Betrachtung nicht stand. Die hervorragende entwicklungsgeschichtliche Bedeutung, die ihr Thode glaubte zuschreiben zu können, hat sie nicht; sie ist im ganzen genommen wohl wichtig, aber kein Kunstwerk von hohem Grade, sie ist auch nicht gut erzählt und entbehrt ganz der epischen Meisterschaft Giottos. An Bedeutung kann sie den Arena-Fresken nicht entfernt gleichgestellt werden. Sie ist in jeder Hinsicht dem Geiste Giottos fern. Z. B.: eine Landschaft wie jene, in der Franz seinen Mantel verschenkt (Abb. S. 144), eine Verwendung der Architektur, wie in der Lossagung des Heiligen von seinem Vater (Abb. S. 145), darin liegt ein grundsätzlich anderer, weicherer künstlerischer Gestaltungswille. Mit seltsamer Empfindungslosigkeit wird darin von dem herkömmlichen Stützungsmittel Gebrauch gemacht. Es entsteht ein ungeklärtes, unbegriffenes Nebeneinander von Altem und Neuem, dem gerade das fehlt, was den lebendigen, festen Kern der Bilder Giottos ausmacht, die Folgerichtigkeit der inneren Logik. Nicht anders ist es, wenn man das so berühmte Bild des Quellwunders (Abb. S. 150) neben irgendeine Landschaft der Arena bringt. Auch Giottos schwächste Architekturen der Fresken in Padua sind bauliche Meisterwerke gegen das, was in Assisi an Architekturen gezeigt wird. Ihr Merkmal ist eine Mischung aus Zurückgebliebenem und beträchtlich Fortgeschrittenem, wofür in beidem Sinne in der Arena nichts Vergleichbares aufzuweisen ist. Schon die Tatsache der Verwendung relativ entwickelter gotischer Architekturformen macht die Entstehung der Franz-Legende, als eines Werkes Giottos, v o r den Arena-Fresken unmöglich. N a c h der Arena kann jedenfalls Giotto sie nicht gemalt haben. Die Kraft seines Wesens wäre ihm in die sonderbare Zerfahrenheit einer Epigonenleistung verronnen. Die Franz-Legende ist eine Kollektivarbeit in einem sehr anderen Sinne als es die Arena-Fresken sind. Der einheitliche Geist eines überragenden künstlerischen Willens fehlt ihr ganz. Man wird die heutigen Versuche einer Aufteilung unter verschiedene Hände gewiß nur mit großer Zurückhaltung aufnehmen müssen, aber die Tatsache, daß Nr. 26—28 eine andere, leicht erkennbare Hand zeigen, ist nicht zu leugnen. Dieser Künstler steht zudem auf einer primitiveren Entwicklungsstufe, als die Maler der vorangehenden Bilder, obwohl doch sehr wahrscheinlich ist, daß er zeitlich mit seiner Arbeit den anderen folgte. Es ist uns heute fast unbegreiflich, daß Thode diese Unterschiede nicht sah, obgleich er einmal die langgezogenen Gestalten maniriert nennt. Vielleicht werden Spätere unser Zögern, mehrere Hände innerhalb der Reihe 1—25 anzuerkennen, ebenso unbegreiflich finden. Zeitlich scheint mir die Franz-Legende auf einer Stilstufe zu stehen, die etwas vor den Fresken des rechten Querschiffes der Unterkirche liegt. Ohne Giotto ist die Franz-Legende nicht denkbar, die Arena-Fresken sind ihre Voraussetzung. Unmittelbare Schüler Giottos kann ich jedoch in der Franz-Legende (ebenso wie Rintelen) nicht am Werke sehen, wohl aber solche, die sich der Macht seiner neuen Anschauung nicht zu entziehen vermochten. — Schöne Gesamtansichten des Inneren der Unter- und Oberkirche bei Beda Kleinschmidt O. F. M., die Basilica San Francesco in Assisi I, Berlin 1915, Taf. V—X.

S. 144. Der Traum vom Palast, Nr. 3. — Der Maler der Franz-Legende erzählt die Geschichten vornehmlich nach Bonaventuras Leben des hl. Franz (geschrieben 1261). — Der Herr zeigt dem Heiligen im Traum einen großen und schönen Palast gefüllt mit Waffen, Schilden, Panzerhemden usw. Es sind die Waffen, die Franz und seine Jünger als Streiter des Herrn anlegen sollen.

S. 145. Die Lossagung, Nr. 5. — Der Vater führt den Sohn vor den Bischof, damit Franz in die Hände des Geistlichen alles väterliche Gut zurücklege. Franz entäußert sich sogar seiner Kleider, um keine Gemeinschaft mit dem Vater mehr zu haben, so daß der Bischof die Blöße des Heiligen decken muß.

S. 148. Vision der Throne, Nr. 9. — Ein Jünger des Heiligen sieht in der Verzückung am Himmel unter vielen Stühlen einen, der „mit kostbaren Steinen geschmückt war und vom Glorienschein ganz widerstrahlte". Dann hört er eine Stimme sagen, das sei der verwaiste Thron eines gefallenen Engels, bestimmt, den heiligen Franz zu tragen. —

Vertreibung der Dämonen aus Arezzo, Nr. 10. — Franz trifft Arezzo im Bürger-
krieg. Er sendet den Bruder Silvester voraus, der die Dämonen vertreiben solle. Silvester beschwört laut die bösen Geister des Haders und der Fehde, sie entfliehen und
der Friede kehrt in die Stadt zurück.

S. 149. Die Feuerprobe, Nr. 11. — Franz bietet dem Sultan die Probe an, um die Wahrheit
seines Glaubens gegenüber der Lehre des Mohammed zu beweisen. Die Priester weichen
links schon scheu zurück; der Sultan lehnt die Probe ab, weil er einen Aufruhr seines
Volkes fürchtet.

Die Verklärung, Nr. 12. — Franz wird von seinen Jüngern eines Nachts gesehen,
wie er in der Ekstase des Gebetes, dem Gekreuzigten gleich, von einer leuchtenden
Wolke über den Boden erhoben wird, während der Herr sich aus dem Himmel herab-
neigt. — Das Stadttor ist ein Abkömmling der goldenen Pforte in Padua (Abb. S. 11).

S. 150. Weihnachtsfeier in Greccio, Nr. 13. — Franz kniet in der Tracht eines Diakonen vor der
von ihm zugerichteten Krippe, neben der Ochs und Esel lagern. Der Heilige nimmt
behutsam, im Anschauen des Christkindes versunken, den Knaben an sein Herz. Johannes, der Bürger von Greccio (links), hat es später berichtet, er habe ein wahrhaftiges
Kindlein, vom Schimmer der Heiligkeit leuchtend, in der Krippe liegen gesehen. — Die
Feier vollzieht sich im Presbyterium einer Kirche. Die Vergleichung mit Padua Nr. 8 und
Nr. 17 ist lehrreich, und beweist die spätere Entstehung des Freskos in Assisi. — Franz
ist der Begründer des Brauches, zu Weihnacht in der Kirche eine Krippe aufzubauen.

Das Quellwunder, Nr. 14. — Franz ritt einst, da er sich krank fühlte, auf dem
Tiere eines einfachen Mannes in die Einöde. Es war heißer Sommertag und der Mann
begann unter der Glut so zu leiden, daß er schließlich laut um einen Trank flehte. Franz
steigt vom Tiere ab, betet, und eine Quelle sprudelt am Wege.

S. 151. Der Tod des Edlen von Celano, Nr. 16. — Franz kommt einst, um zu predigen, nach
Celano; ein Vornehmer bittet demütig, Franz möge bei ihm einkehren und das Mahl
nehmen. Der Heilige gewährt die Bitte, verlangt aber zuvor eine vollkommene Beichte
und wahre Reue, dann werde Gott es dem Gastgeber vergelten, daß er dem Heiligen
und seinen Brüdern Gutes getan. Der Edle beichtet. Als man sich zum Mahle nieder-
läßt, sinkt der Herr des Hauses tot zu Boden.

S. 152. Erscheinung zu Arles, Nr. 18. — Während Bruder Antonius (links, stehend) auf dem
Ordenskapitel zu Arles über den Titel des Kreuzes, das INRI, predigte, sah Bruder
Monaldus (links, vorn sitzend) Franz, mit Armen wie zur Kreuzigung ausgebreitet, er-
scheinen und so die Versammlung segnen.

S. 153. Stigmatisation, Nr. 19. — Der rechts vor dem Kirchlein sitzende Bruder ist des Franz
Begleiter auf dem Monte Alvernia. Es war Franz durch Weissagung eingegeben, er sollte
durch dreimaliges Öffnen des Evangeliums, den Willen Christi erforschen. Der Bruder
öffnet es dreimal und stets wird auf Kreuzestod und Leiden Christi hingewiesen. In
der Ekstase vollzieht sich an Franz das unbegreifliche Wunder, daß er an seinem Körper
die blutenden Male wie der Gekreuzigte trägt.

S. 154. Die Vision des Augustinus, Nr. 21. — Der sterbende Bruder Augustinus, der schon lange
die Sprache verloren hatte, sah im Todeskampf den hl. Franz vor seinen Augen zum
Himmel aufschweben und rief es laut aus, so daß die anderen Brüder es erstaunt
hörten. — Ähnlich erschien dem träumenden Bischof Guido von Assisi der hl. Franz in
der Stunde seines Todes und verkündete: „Siehe ich verlasse die Welt und gehe gen
Himmel." — Vgl. für die Architektur Padua Nr. 9, 10, 11, 25.

Die Totenfeier, Nr. 22. Schauplatz vor dem Lettner, über den hinweg man das
Kassettengewölbe der Tribuna sieht. — Vor der Totenbahre kniet Hieronymus, der
Edle, der ungläubig an den Wundmalen gezweifelt hatte, und nun, ein anderer Thomas,
seine Hand in die Seitenwunde legt.

S. 155/56. Nr. 23. — Das folgende Bild, Nr. 24, Kanonisation des hl. Franz, wurde nicht reprodu-
ziert, weil es sehr stark zerstört und nur in Bruchstücken erhalten ist. Abb. bei Supino,
a. a. O., Taf. CXCIV—CXCVI.

S. 157. Die Heilung des Mannes von Ilerda, Nr. 26. — Er war eines Nachts in Katalonien über-
fallen und schwer verwundet worden. Siech lag er darnieder. Der Arzt hatte ihn aufgegeben, und selbst seine Frau wandte sich, ob des furchtbaren Geruches der eiternden
Wunden, von ihm ab. Da rief der Kranke immer wieder den Namen seines Schutz-
heiligen, des Franz. Der erschien, salbte die Wunden und der Todkranke genas.
S. 158. Die Beichte der vom Tode Erwachten, Nr. 27. — In einem Ort bei Benevent war eine
Frau gestorben, die den heiligen Franz stets in hohen Ehren gehalten hatte. Die Geistlichen kamen die Totenfeier zu zelebrieren. Da richtete sich plötzlich die Gestorbene
auf, rief ihren Paten herbei und sagte: „Ich will beichten, Vater." Nach der Beichte
legte sie sich nieder und entschlief selig in dem Herrn.

Die Befreiung des Häretikers, Nr. 28. — Ein Ketzer, mit Namen Petrus, der von
dem Bischof von Tibur ins Gefängnis geworfen worden war, ging in sich, bereute seinen
Unglauben und rief die Hilfe des heiligen Franz an. Die Gefängnistür öffnete sich, die
Fesseln fielen. Der Bischof eilte herzu und pries das Wunder.

S. 159—63. Über die Fresken der Unterkirche fehlen urkundliche Nachrichten. Ghibertis Bemerkung (vgl. die Erläuterung zu S. 143) ist allgemein und darf wohl auf alle giottesken
Bilder der Unterkirche bezogen werden, auch auf die Allegorien. Es ist erst Vasari
(a. a. O., S. 378), der sie ausdrücklich für Giotto in Anspruch nimmt, Thode (Franz von
Assisi, S. 275 f.) ist ihm darin gefolgt und findet in den Fresken des rechten Querschiffes
dieselbe Hand. Venturi gab sie einem Schüler Giottos, den er nach ihnen den „Maestro
delle Vele" nennt (L'Arte IX [1907], S. 19 ff. „Le Vele d'Assisi"; Storia V (1907), S. 476 ff.;
La Basilica di Assisi, 1908); demselben Meister schreibt er auch die Fresken am Tonnengewölbe des rechten Querschiffes zu. Rintelen (a. a. O., S. 192 ff.) streicht ebenfalls die
Allegorien aus der Liste der eigenhändigen Arbeiten Giottos, ebenso Sirén (a. a. O.,
S. 106 ff.) und van Marle (a. a O., S. 201 ff.), während Wulff (a. a. O. im Repertorium) den
entgegengesetzten Standpunkt einnimmt, auch Supino (a. a. O., S. 77 ff.). Die Allegorien
hat ein Schüler Giottos gemalt, der die Größe und Innerlichkeit seines Lehrers in eine
liebenswürdige Lebendigkeit abschwächt. — Die hl. A r m u t (S. Paupertas) in zerfetztem
Kleide im Dorngestrüpp, über ihr blühende Büsche mit Rosen und Lilien. Sie ist geflügelt. Rechts neben ihr Caritas und Spes, die erste reicht der Armut das Herz, die
zweite den Ring. Zu Füßen geifert ein Hund zur Armut empor, ein Bube will einen
Stein auf sie werfen, ein anderer schmäht. Links schenkt ein Jüngling seinen Mantel
einem Armen; rechts mahnt ein Engel einen vornehmen Herrn, der einen Falken auf
seiner Linken trägt; ein anderer, älterer Mann wendet sich ab und umklammert seinen
Geldbeutel. Oben tragen Engel Gewand und Beutel, „Haus und Hof" in die geöffneten
Arme Gott Vaters. — Die hl. K e u s c h h e i t (S. Castitas) sitzt im Turm ihrer Tugend,
der Bergfried einer Festung ist, verschleiert wie eine Nonne. Engel bringen Krone und
Palme. Die Reinheit (S. Munditia) und die Tapferkeit (S. Fortitudo) reichen über den
Mauerring einem Jüngling, der vorn von Engeln getauft wird, die weiße Fahne der
Makellosigkeit und den Schild der Festigkeit des Herzens, während zwei Engel die
Mönchsgewänder bereit halten. Sieben gewappnete Ritter hüten mit Schild und Geißel
die Festung. Links hilft Franziskus einem Mönch zu sich empor, rechts kämpfen drei
Engel mit den Waffen Christi (Lanze, Kreuz, Nägel) gegen das Böse in mancherlei Gestalt. Vorn die Buße (Penitentia), geflügelt, in Mönchskutte; sie sticht mit dem Drei-
zack nach Amor. Er hat Blumen im Haar, die Augen verbunden und am Köchergehenk
von Schulter zu Hüfte einen Kranz von Menschenherzen. Statt der Füße trägt Amor Raub-
vogelklauen. Im Hintergrund kämpft der Tod als Gerippe gegen einen Teufel. Ganz vorn
ist die Unreinheit (Immunditia), ein teuflisches Wesen mit Schweinskopf, schon zu Falle
gebracht. — Der G e h o r s a m (S. Obedientia) sitzt unter einem rundbogigen Söller, an
Körperlichkeit eine alte Frau. Sie legt einem Mönch mit der Rechten ein Joch auf und
hebt den Zeigefinger der Linken, wie zum Schweigen, an den Mund. Rechts von ihr
kniet die Demut (S. Humilitas) als junges Mädchen und bringt eine Kerze dar, links
sitzt die doppelgesichtige Klugheit (S. Prudentia). Sie hält Spiegel und Zirkel; vor ihr

auf der Brüstung in einem Gehäuse wohl ein Astrolabium. Rechts weicht ein Fabelwesen, halb Centaur, halb Panther entsetzt zurück, man pflegt in ihm ein Abbild der Hoffart zu sehen. Auf dem Söller knien zwei Engel, in ihrer Mitte wird Franz an dem Joch der gehorsamen Unterwerfung zum Himmel emporgezogen. — Man braucht nur die Tugenden und Laster in Padua zu vergleichen (es bestehen mancherlei Beziehungen zu ihnen), um den großen inneren Abstand der Allegorien in Assisi zu Giotto selbst zu empfinden. Sie sind erklügelt, überfüllt und entbehren der Ausdruckskraft. Als Dekorationen kann man ihnen Gefälligkeit, ja einen gewissen heiteren Glanz nicht absprechen. Zur Deutung vgl. Thode, a. a. O., S. 521 ff.

S. 164—171. Für die hübschen, durch ihre muntere Art anziehenden Fresken aus der Jugendgeschichte Christi, vgl. R i n t e l e n , a. a. O., S. 201 ff., über die älteren Zuschreibungen, T h o d e , a. a. O., S. 277. Sie sind, wie es scheint, bis auf die blauen erneuerten Gründe, verhältnismäßig gut erhalten. Der Künstler ist offenbar derselbe, von dessen Hand die Allegorien gemalt wurden. Wer die Arenafresken ernstlich in sich aufgenommen hat, darf darüber nicht im Zweifel sein, daß diese Bilder von Giottos Hand nicht herrühren können. Gewiß entbehren sie nicht der künstlerischen Reize und machen, wenn man sie für sich betrachtet, keine schlechte Figur. Gegenüber den Arenafresken verraten sie gewisse Fortschritte in der Raumauffassung und in dem Verhältnis der menschlichen Gestalt zur Architektur. Das Langgestreckte der schlanken Körper sollte man nicht übersehen, auch nicht den Reichtum des Architektonischen besonders an den Innenräumen, die ganz gotisch sind. Das Bild des zwölfjährigen Jesus im Tempel verrät den starken Eindruck, den der Maler von Giottos Erscheinung in Arles der Cappella Bardi (Abb. S. 133) empfangen hat. Das weiche, lebhafte Temperament dieser Bilder wird man auf eine Berührung mit sienesischer Kunst zurückführen dürfen, was schon mehrfach ausgesprochen worden ist. Wer sich die Mühe nimmt, Zug um Zug diese Fresken mit den entsprechenden Bildern der Arena zu vergleichen, kann schon an der Gegenüberstellung der Abbildungen erkennen, wie groß die Entfernung gegenüber Giotto selbst ist (auch zeitlich). Die tiefe, innere Gewalt Giottos in Padua enthüllt sich dabei in ihrer ganzen verhaltenen Schönheit, gerade weil man so leicht sieht, wo der Schüler mehr „wußte" als der Meister.

S. 172. Die Kreuzigung ist sehr deutlich von der gleichen Darstellung in Padua abhängig. Der Maler der Bilder am Tonnengewölbe scheint daran beteiligt zu sein, das Ganze stammt offenbar von anderer Hand. Rintelens Urteil über die linke Bildhälfte (a. a. O., S. 206) ist sehr hart und, wie ich meine, nicht ganz gerecht. Ich habe stets von den drei Klagenden, besonders von der mittleren Maria einen starken Eindruck mitgenommen. Die rechte Bildhälfte ist schwächer als die linke. Man hat den Abstand zu den Bildern der Geschichte Christi mehrfach empfunden und deshalb auch an Giotto selbst gedacht, was doch nicht möglich ist. Es fehlt dem Bilde trotz schöner, echt empfundener Stellen an innerer Einheitlichkeit und Haltung. — Unter der Kreuzigung, in einer Raute der Umrahmung, die Löwin mit ihren Jungen, wie in Padua; über der Kreuzigung an ähnlicher Stelle der Pelikan.

S. 173. Schüler Giottos, der eine gewisse Verwandtschaft mit dem Maler der vorigen Bilder hat. Die beiden folgenden Szenen aus der Franz-Legende, rechts und links vom Eingang zur Nikolaus-Kapelle (S. 174 u. 175), hat beide ein anderer Schüler Giottos gemalt, der offenbar dem Meister näher steht. Vgl. dazu Wulff (a. a. O. im Repertorium) und Rintelen, a. a. O., S. 207 ff.

S. 176—182. Für die Anordnung der Fresken in der Magdalenen-Kapelle, vgl. die Beschreibung bei Thode, a. a. O., S. 282 ff. Daß die Kapelle von Teobaldo II Pontano da Todi — er wurde 1314 Bischof von Assisi und ist 1329 gestorben — erbaut und ausgeschmückt sei, beruht auf einer späten Notiz, ist aber urkundlich nicht gesichert. Ebensowenig daß Pier Damiano, Bischof von Sabino, der Stifter sei. Die ältere Literatur hat in den Fresken Arbeiten der Schule Giottos gesehen und dafür verschiedene Namen genannt (Puccio Capanna, Taddeo Gaddi). Thode ist dann mit Entschiedenheit für Giotto eingetreten, läßt aber die Beteiligung der Schüler zu. Er datiert, unmittelbar nach der Arena, auf

1306. Andere Forscher sind Thodes Ansicht gefolgt, Wulff lehnt Giotto ab, ebenso Rintelen (a. a. O., S. 210, dort Literatur), sogar Supino (a. a. O., S. 306 ff.). Neuerdings auch Sirén (a. a. O., S. 93), der früher in seinem Buch über Giotto (Stockholm 1906, S. 56 ff.) für die Eigenhändigkeit der Fresken eingetreten war. Man darf also sagen, daß im allgemeinen die Forschung bereit ist, Giotto hier auszuschließen. Nächst Rintelen hat Sirén den Fresken eine Untersuchung gewidmet. Er meint, ihr Maler werde ein Künstler sein, der unter Giotto in Padua gearbeitet habe, zeitlich denkt er an die 1320er Jahre. — Auf den ersten Blick scheint Thodes Ansicht durchaus verständlich, denn es gibt keine giottesken Fresken, die in den Typen, und in mancher Beziehung auch der Empfindung nach, Giotto näher ständen. Das eingehende Studium zeigt aber doch sehr bald, daß man sich hier einem Nachahmer des Meisters gegenüber befindet, der in Padua viel gelernt hat, aber doch nicht mehr als das Äußerliche. Darüber gibt die Vergleichung der beiden Darstellungen des „Noli me tangere" jeden Aufschluß, ebenso der „Auferweckung des Lazarus" usw. Der zeitliche Abstand ist schwer bestimmbar, doch wird Siréns Ansicht ungefähr das Richtige treffen.

S. 181. Ein vornehmer Heide in Marseille wünschte sich ein Kind und kam den Göttern zu opfern. Magdalena predigte damals in der Stadt die neue Lehre und verbot das Opfer. Bald darauf erschien sie dreimal ihm und seiner Gattin im Traum und forderte beide auf, von ihrem Überfluß den Heiligen Gottes, die darben müßten, zu helfen. Die Heiligen wurden dann auch von dem Vornehmen in sein Haus aufgenommen. Beide waren schließlich bereit, den neuen Glauben anzunehmen, wenn ihnen ein Kind beschert würde. Magdalena betet um Erfüllung der Bitte, sie wird gewährt. Der Vornehme will nun zu dem Meister der Magdalena, dem hl. Petrus, nach Rom pilgern. Seine Gattin fleht ihn an, sie mitzunehmen. Er willigt schließlich ein. Sie rüsten ein Schiff und fahren übers Meer. Es zieht ein furchtbarer Sturm herauf und die gesegnete Frau schenkt einem Kinde das Leben, stirbt aber daran. Die Matrosen wollen die Leiche ins Meer werfen, weil sie abergläubisch das Fortdauern des Sturmes der Anwesenheit einer Toten auf dem Schiffe zuschreiben. Der Mann bittet und fleht. Da wird eine kahle Insel gesichtet. Dort legt der Gatte die Leiche nieder und birgt das weinende Kind an die Brust der Toten. Im Gebet klagt er Magdalena sein Leid und bittet sie, das Kind vor dem Hungertode zu bewahren. Mutter und Kind hüllte er in seinen Mantel, ging an Bord und kam nach Rom zu Petrus. Auch ihm trug er seinen Kummer vor, wurde aber getröstet: „Dein Weib schlummert, dein Kind lebt." Mit Petrus zieht er nach Jerusalem zu den heiligen Stätten. Nach zwei Jahren macht sich der Pilger auf die Heimreise und fährt an der Insel vorüber. Er sieht am Strande ein hübsches Kind spielen, es flüchtet, als er an Land geht, unter den Mantel, an den nährenden Busen der Mutter. Die Mutter aber lebt. Beide kehrten mit dem Kinde fröhlich heim, erhielten von Maximin die Taufe und wurden wahre Eiferer für den neuen Glauben. — Im Fresko ist wohl die Rückkehr des Kaufmanns und sein Landen an der Insel dargestellt. Oben die Überfahrt der Magdalena nach Marseille. Im Schiff sieht man Maximin, dem Magdalena von Petrus anvertraut worden war, Lazarus, Maria Magdalena, Martha und Cedonius. Sie waren von den Ungläubigen gewaltsam auf ein Schiff gebracht, ohne Segel, Ruderer und Steuerleute den Gefahren der hohen See ausgeliefert worden. Aber Gott führte seine Heiligen sicher zum Hafen.

S. 183. Die Kapelle des Palazzo del Podestà (Bargello) hatte wohl noch ihren ursprünglichen Zustand bewahrt, als 1574 ein Zwischenboden eingezogen und zwei übereinanderliegende Säle daraus gemacht wurden. Dabei verschwanden die Fresken unter der Tünche. 1839 begann man die Freilegung zunächst auf private Initiative hin. Bald darauf übernahm die Regierung die Leitung der Arbeiten, der Zwischenboden wurde beseitigt, und die Fresken wurden von Marini bloßgelegt (1841). Sie erwiesen sich als sehr zerstört. Das Bildnis Dantes wurde sozusagen neu gemalt; eine Durchzeichnung Kirkups, vor der Wiederherstellung des Porträts abgenommen, wird noch im Bargello bewahrt. Seitdem hat sich der ohnehin klägliche Zustand der Wandgemälde beträchtlich verschlimmert. — Es ist hier nicht der Ort, auf die historische Seite der Frage ausführlich einzugehen. (Literatur darüber bei Rintelen, a. a. O., S. 241 und bei Supino, a. a. O., S. 231.) Supino bezieht eine von ihm veröffentlichte Zahlungsbewilligung von 1322, in der von Gemälden „Capelle ipsius Pallatij" gesprochen wird, auf die Magdalenen-Kapelle. Ist diese Beziehung erlaubt, und sind damit die Fresken gemeint, so ergäbe sich ein fester Zeitpunkt für den Beginn der Arbeit. Ein zweites Datum läßt sich schließen aus der Inschrift unter der Figur des hl. Venantius an der Fensterwand, die besagt, daß das „Werk" unter dem Podestà Fidesmini da Varano gemacht worden sei. (Hoc opus factum fuit tempore...) Fidesmini aber war Podestà von Florenz während der zweiten Hälfte des Jahres 1337. Man hat gestritten, ob sich der Ausdruck „opus" nur auf die Heiligenfigur oder auf die ganze Kapelle beziehe. Beides ist möglich, unvoreingenommen würde man eine so lange Inschrift auf die Ausschmückung des ganzen Raumes beziehen. Die Heiligenfigur bedeutet so, wie Rintelen es ausdrückt, „den Schlußstein des Ganzen", was sagen will, daß die Ausschmückung schon vor des Fidesmini Zeit könnte begonnen sein. Giotto ist am 8. Januar 1337 gestorben, es wäre also möglich, daß er, sind die Schlüsse richtig, an der Planung der Ausschmückung und an der Freskoarbeit selbst noch Anteil hätte. Doch ist dies alles schwanker Boden. — Bleiben die Fresken selbst, die als Urkunden nicht mehr verwertbar sind; was leidlich erhalten blieb, ist offenbar nicht von Übermalung oder Wiederherstellung frei. Rintelen hat doch versucht, die Reste kritisch zu würdigen, er findet Giotto selbst nicht. Supino unterläßt eine stilkritische Würdigung, bleibt aber bei Giotto. Van Marle (a. a. O., S. 225) gibt die Fresken dem Meister des Kreuzgewölbes der Unterkirche von S. Francesco in Assisi, dem „Maestro delle Vele". Soweit ein Urteil überhaupt noch möglich und zulässig ist, kann man nur an Schüler Giottos denken; das späte Datum würde das wahrscheinlichere sein. — Die Wandbilder der Kapelle stellen dar: auf der Eingangswand das Inferno, auf der gegenüberliegenden zweiten Schmalwand das Paradies, auf der rechten Längswand Szenen aus dem Leben der Maria Magdalena, auf der linken, der Fensterwand, andere Szenen dieser Legende; die Deutung verschiedener Fragmente bleibt unsicher.

S. 184. Aus S. Francesco in Pisa, bezeichnet auf dem Rahmen: „Opus Jocti Florentini"; Werkstattbild, so schon Waagen (Kunstwerke und Künstler in Paris. Berlin 1839, S. 402), der es „ein schwaches Schulbild" nennt, Rintelen (a. a. O., S. 220 ff.) erkennt „den allgemeinen giottesken Charakter des Bildes" an, doch ist „bei den echten Werken des Künstlers kein Platz dafür". Auch Sirén (a. a. O., S. 83) hält es für eine Arbeit der Werkstatt, ebenso van Marle (a. a. O., S. 183). Man kann die Tafel nur eine Wiederholung des Freskos der Oberkirche (Abb. S. 153) nennen und keine gute. Daß ein Tafelbild aus dem Kreise Giottos das Fresko in Assisi nachbildet, braucht nicht verwunderlich zu scheinen, auch wenn wir heute in den Franziskusfresken der Oberkirche Giotto selbst nicht mehr wiederzuerkennen vermögen. Es ist natürlich, daß die Franziskaner in Pisa das geheimnisvollste und wunderbarste Erlebnis des Ordensstifters in der Form des Abbildes bei sich haben wollten, wie sie die Darstellung der Szene in der Gruftkirche des Heiligen offenbar kanonisch gemacht hat. Sie muß an dieser heiligen Stätte schon für die Zeitgenossen Giottos den Zauber des Authentischen gehabt haben. Gerade weil wir uns heute von jener Franziskusromantik frei wissen, die das Urteil über den künstlerischen Wert der Fresken in Assisi vordem so ungünstig beeinflußt hat, dürfen wir das Verdienst, wo wir es in der Oberkirche finden, um so vorbehaltloser anerkennen. Das sehr beschädigte Fresko der Stigmatisation übt noch immer seine Wirkung. Der große Raum, der dem Landschaftlichen zugestanden wird, schafft etwas von der Stimmung der Einsamkeit des Monte Alvernia, von der Stille ringenden Sich-Versenkens, in die das Wunder wie mit der Größe des Notwendigen eintritt. Das Gemälde im Louvre verflüchtigt all dies fast bis zum Banalen, was nicht allein daran liegt, daß das Tafelbild Verengerung forderte. Die Predellenszenen sind in ähnlichem Sinne, auf das Naturwahre hin betrachtet, verbesserte Wiederholungen (vgl. Abb. S. 146, S. 151), so wie ein Kopist, der mancherlei gesehen hat, das Unbeholfene rasch erkennt, aber in den Geist des Ganzen nicht eindringt. Solche Feststellungen reichen allein hin, um für das Bild im Louvre Giotto selbst ganz auszuschließen. Das Fresko der Stigmatisation über dem Eingang zur Bardi-Kapelle bekommt demgegenüber die Wucht eines Kronzeugen. Es hat mit dem Bild in Assisi die allgemeinen Richtungen, die Anordnung gemein, aber es gestaltet die wunderbare Szene mit selbständiger Freiheit und Größe, die, wenn es der Stil auch im einzelnen nicht verriete, allein schon für Giotto selbst Zeugnis ablegt. — Rintelen datiert die Tafel um 1325. Über die Entwicklung des Vorwurfes vgl. Thode, Franz von Assisi, 1904, S. 144 ff.

S. 185—187. 1914 für das Kaiser-Friedrich-Museum in Berlin erworben. Man pflegt in dem Bilde jene Darstellung des Todes Mariae zu sehen, die Ghiberti bei den Frati Umiliati, d. h. in Ognissanti zu Florenz erwähnt. Das Gemälde war nach Vasari, der es in der 1. Auflage (1550) der „Vite" nennt, bei Erscheinen der 2. Auflage (1568) nicht mehr in der Kirche vorhanden. Im 19. Jahrhundert aus dem Besitz des Kardinals Fesch von der Familie Bromley-Davenport erworben, anfangs in Wotton Hall, seit 1869 auf dem Familiensitz Capesthorne. — Die Form des Bildes ist nicht ungewöhnlich, sie war schon im 13. Jahrhundert beliebt, diente in der Regel aber der Darstellung von Heiligenhalbfiguren, die zu Seiten der Mittelfigur (Madonna, segnender Christus, Titularheiliger) meist zu fünf angeordnet wurden. So Bilder aus dem Kreise Guidos da Siena in der Akademie in Siena, Meliore in der Pinakothek in Parma, Deodato Orlandi im Museo Civico in Pisa u. a. Sie wurden über einem nur niedrigen Postament auf dem Altartisch aufgestellt. Vasari erwähnt, daß die Tafel von Michelangelo sehr gelobt worden sei. Der Goldgrund ist erneuert, die Erhaltung im allgemeinen leidlich. Von Perkins mit Abb. zuerst wieder in die moderne Literatur eingeführt (Rassegna d'Arte, XIV (1914), 193 ff. u. 243 ff.) als ein Werk Giottos selbst. So auch Sirén (Giotto and some of his followers, Cambridge 1917, I, S. 76 ff.), Suida und van Marle a. a. O. Von Berenson (Rass. d'Arte, XV [1915], S. 187 ff.) und von Rintelen (a. a. O., S. 224) für ein Werkstattbild erklärt. — Das an sich schöne und sorgfältig gemalte Bild, wird in Giottos nächster Nähe, also in seiner Werkstatt entstanden sein, Eigenhändigkeit läßt sich ihm nicht zubilligen. Das Vollgestopfte, die geringe Raumwirkung, die unbeseelten Gesichtstypen, die Figuren mit den verkümmerten Händen (z. B. die langweiligen Kerzenhaltenden Engel, der jugendliche Apostel rechts), die Weichheit, fast Weichlichkeit des Ganzen rücken die Tafel allzusehr von der Handschrift des Madonnenbildes aus Ognissanti ab. Die innere Gesammeltheit Giottos fehlt ihr ganz. Das Bild scheint nicht einmal von einer Hand, die rechte Seite ist qualitätvoller. Immerhin wird man einen Bildgedanken Giottos in geschwächter Gestalt vor sich haben. Das Motiv des Engels, der das Weihrauchfaß anbläst, findet sich wieder auf dem Fresko des Todes Mariae in S. Agostino in Rimini und auch auf einem interessanten zweiflügeligen Altärchen im „Haus Wedells" zu Hamburg, ein Bild, auf das mich Erwin Panofsky freundlichst hingewiesen hat (Giebelrahmen, Größe: je B. 25,3, H. 54 cm, ohne Rahmen gemessen. Tod Mariae und Kreuzigung Christi, das erste bezeichnet in gotischer Majuskel: Joctus me fecit). Das Mittelstück der Berliner Komposition ungefähr im Gegensinne wiederholt, jedoch mit viel stärkeren Abweichungen als der Marientod des Jacopo del Casentino bei Charles Loeser in Florenz (Offner, in Boll. d'Arte, Serie II, Bd. III [1923/24], S. 248 ff.). In der unteren Bildhälfte statt der knienden Engel das der Grabtragung Mariae entnommene Motiv der verdorrenden Hände, die von der Bahre sich nicht mehr lösen ließen. Im Giebel Christus gekrönt, der die Seele der Maria emporträgt. Soweit die Photographie ein Urteil zuläßt, möchte der Maler in der Schule von Rimini zu suchen sein, etwa in der Nähe des Giovanni Baronzio.

S. 188—190. Auch heute noch von manchen für eine Arbeit Giottos selbst gehalten, so von Sirén (a. a. O. S. 82), von Supino (a. a. O. S. 263), der im ganzen genommen zu dem Standpunkt der Giotto-Kritik zurückkehrt, den man etwa vor zwanzig Jahren einnahm; auch

Marle (a. a. O. S. 157 ff.) hält für den Kruzifixus an Giotto fest. Rintelen (a. a. O. S. 225 ff.) sieht in ihm eine Werkstattkopie, die im engsten Anschluß an den Kruzifixus des Kreuzigungsfreskos (Abb. S. 59) der Arena gemalt sei, „im großen ganzen eine Erfindung Giottos", nur die Eigenhändigkeit könne fraglich sein. Ähnlich Suida (Belvedere, a. a. O.). — Das sehr fein gearbeitete Bild hat durch die Zeit, weniger durch Übermalung gelitten, man kann es nur eine Ruine nennen. Zweifellos steht es dem Fresko der Arena so nahe wie kein anderes der Kreuze, und man möchte meinen, es sei unmittelbar unter dem Eindruck des Freskos entstanden. Sehr bemerkenswert ist, was den Kruzifixus von dem im Fresko scheidet. Man muß dem schlimmen Zustand der Tafel mancherlei zugute halten, das aber darf man sagen, das große Vorbild des Meisters erscheint hier wie von dem Schleier einer gefühlsdurchtränkten Weichheit umhüllt; die strenge Idealität wird fast in das Empfindsame umgebogen, und man glaubt sich erinnert an die geistige Atmosphäre des Stephanus-Meisters (vgl. Erläuterung zu S. 204/5). Sehr deutlich wird die Entfernung zu Giotto sichtbar bei einem Vergleich zwischen dem Johannes und den Engel- und Heiligenköpfen der Madonna aus Ognissanti (Abb. S. 116 ff.). Schwerlich stammt das Bild aus der Zeit der Arena-Fresken, schon die reiche und zierliche Form der Rahmung deutet auf eine spätere Entstehung. Die darin so ähnlichen Kruzifixe in Ognissanti und in S. Marco zu Florenz (Abb. S. 214 u. 215) sind weitere Wellenringe, deren aller gemeinsame Mitte das Fresko der Arena ist.

S. 191—199. In den beiden „Martyrologia benefactorum Basilicae vaticanae" im Kapitelarchiv von St. Peter findet sich unter dem 10. Juli 1342 das Necrologium des Kardinals Jacopo Gaetano de' Stefaneschi, der Kardinaldiakon von S. Giorgio in Velabro und Kanonikus von St. Peter war. Darin werden die Verdienste des Kardinals hervorgehoben. Er habe ein Tafelbild für den Hochaltar in St. Peter von der Hand Giottos für 800 Goldgulden gestiftet, die Navicella ebenfalls von Giotto (per manus eiusdem singularissimi pictoris) für 2500 Goldgulden in Mosaik ausführen lassen, u. a. m. (Supino, Giotto, Florenz 1920, S. 53). Von Ghiberti wird das Tafelbild dann genauer bezeichnet, er führt neben der Navicella und der Ausmalung der Chorkapelle von St. Peter an: Das Altarbild des hl. Petrus. — Man hat aus dem Necrologium mehrere Schlüsse gezogen. Einmal, das sehr beschädigte und nicht vollständig erhaltene Altarwerk in der Sakristei der Kanoniker sei eben jenes von Giotto gemalte. Ferner, die Navicella und dies Altarwerk seien etwa gleichzeitig in Auftrag gegeben und gearbeitet. Den Zeitpunkt für die Navicella entnahm man der Bemerkung Villanis, der sagt, sie seien vor dem heiligen Jahr 1300 entstanden. Baldinucci aber weiß, Stefaneschi sei 1295 Kanonikus von St. Peter geworden und habe 1298 die „Navicella" durch Giotto ausführen lassen. So entstand die Datierung auch des Altars auf 1298. Eine andere späte Notiz nennt jedoch die Jahre um 1320 als Entstehungszeit der Navicella, woraus man auch für den Altar auf die Zeit um 1320 geschlossen hat, als man seine Entstehung um 1298 aus stilkritischen Gründen nicht glaubte aufrechterhalten zu können. — Ist die Tafel identisch mit jener im Necrologium erwähnten, d. h. ist sie die von Stefaneschi bestellte? Vor dem Throne des Petrus kniet ein Bischof und bringt das Modell des Altarwerkes dem Apostelfürsten dar. Empfohlen wird er vom hl. Georg. Da Stefaneschis Titelkirche S. Giorgio war, ist es wahrscheinlich, daß wir in dem Knienden den Kardinal Stefaneschi vor uns haben. — Auf die Frage, ob Giotto selbst dieses Bild gemalt habe, antwortet die moderne Forschung „Nein"; Rintelen (a. a. O., S. 183 ff.) hat das sehr klar gezeigt, und diese Meinung ist fast bei allen, die sich mit der Frage seither beschäftigt haben, durchgedrungen. Supino will neuerdings das Jahr 1298 und die Autorschaft Giottos wieder anerkannt wissen, doch kann man seiner Beweisführung Überzeugungskraft nicht beimessen. Zu der Annahme der Gleichzeitigkeit der Navicella und des Altarwerkes gibt das Necrologium nicht das geringste Recht, und man begreift es nicht, daß Supino (a. a. O., S. 61) die Gleichzeitigkeit der beiden Kunstwerke zweifellos findet. Kurz, die urkundliche Begründung in bezug auf die Entstehungszeit und den Schöpfer des Altares steht auf sehr schwachen Füßen. Gewißheit könnte nur das datierte Dokument der Bestellung bei Giotto bringen, das aber ist bisher nicht gefunden worden. — So bleibt nur, wie es Rintelen getan hat, die stilkritische Untersuchung. Für die zeitliche Entstehung bietet die Form des Altarwerkes Material, da das Modell über die ursprüngliche Gestalt des Ganzen gute Auskunft gibt. Der Altar zeigt in der Rahmenform eine reich ausgebildete Gotik, die bei Giotto, wie überhaupt in Italien um 1298, nicht nachweisbar und nicht denkbar ist. Noch in der Arena, also Jahre nach 1298 sind die gotischen Formen bei Giotto karg und zaghaft, wie der Thron der Justitia (Abb. S. 85) hinreichend zeigt. Wenn man z. B. an den Rahmungen der Bilder Simone Martinis beobachtet, wie langsam sich das Gotische durchsetzt — gerade bei ihm hätte man Anlaß, das Gegenteil zu erwarten —, so kann man sich das Altarwerk in St. Peter nicht früher als etwa um 1320 denken, eher später. Nicht viel anders lautet das Ergebnis, wenn man eine Lösung der zeitlichen Frage durch die stilistische Prüfung unternimmt. Diese ergibt ferner, daß das Bild nicht für eine Arbeit Giottos angesehen werden kann. Rintelen begnügt sich damit, es aus dem Werk Giottos zu streichen, Venturi, der es ehedem teils Giotto, teils Schülern zuschrieb, möchte es heute (ähnlich wie Berenson vor ihm) in die Nähe des Bernardo Daddi rücken. Sirén ordnet es neben die Krönung Mariä in Santa Croce, zu der es offenbar keine Beziehung hat. Van Marle empfindet die Nähe Daddis ebenfalls und denkt an den „Maestro delle Vele". Suida (a. a. O. vgl. Literatur) schreibt dem Meister des Petrusaltars die kleine Kreuzigung der Fondazione Horne in Florenz zu, ein Bild, das doch eine gewisse Verwandtschaft mit dem Gemälde in St. Peter besitzt, aber einen früheren Zustand dieses Stiles darstellt, der offenbar sienesische Züge hat. Will man die Angaben des Necrologiums gelten lassen, so kann man nur annehmen, daß der Ausdruck „von der Hand Giottos" auch auf eine Arbeit der weiteren Werkstatt gedeutet werden dürfe, wobei es freilich merkwürdig bleibt, daß sich die Hauptkirche der Christenheit mit einem Werkstattbild zufrieden gab. Einem jungen, noch unbekannten Giotto gegenüber wäre eine solche Auslegung nicht denkbar, dem künstlerischen Großunternehmer Giotto gegenüber, als welchen man sich ihn in den Jahren seines Ruhmes vorzustellen hat, möchte sie eher zulässig sein. Die gründlichste neuere Untersuchung über das Dokumentarische der Navicella und des Petrusaltars bei Lionello Venturi (vgl. Erläuterung zu S. 1). Nur wenige haben den Altar aus der Nähe gesehen, wie Mr. Berenson, der ihn kürzlich im Freien bei Sonnenlicht hat studieren können. Wie er mir sagte, ist die technische Ausführung äußerst fein, die späte Entstehung, und daß Giotto selbst ausgeschlossen werden müsse, schien ihm unzweifelhaft.

S. 200—203. Ursprünglich auf dem Altar der Cappella Baroncelli, die Taddeo Gaddi 1332—38 ausgemalt hat. Es ist bezeichnet OPUS MAGISTRI JOCTI, eine Signatur, die Venturi dem Ende des 15. Jahrhunderts zuschreibt. (Storia, V [1907], S. 531 ff.) Mag sie gleichzeitig oder später nachgetragen sein, das Bild kann für Giotto selbst nicht in Anspruch genommen werden. Sirén hat es als erster dem Taddeo Gaddi, wenigstens der Ausführung, nicht der Komposition nach, gegeben. (Sirén, Don Lorenzo Monaco, Straßburg 1905, S. 153 Note), so, bald danach, auch Venturi (a. a. O.) und andere, neuerdings wieder van Marle (a. a. O., S. 319). Die Zuschreibung an Taddeo hat viel für sich, gerade im Vergleich mit den Fresken der Cappella Baroncelli. Rintelen (a. a. O., S. 217) streicht das Bild ebenfalls aus dem Werk Giottos. — Die Signatur könnte gleichzeitig sein, da nichts im Wege steht, anzunehmen, Giottos Signatur sei auch als Werkstattmarke verwendet worden. Der Rahmen des 15. Jahrhunderts beeinträchtigt die Wirkung, die es ursprünglich gehabt haben muß. Die Signatur kann aber auch aus der Zeit der Herstellung des übrigens erneuerten Rahmens stammen, wie Venturi offenbar annimmt.

S. 204 u. 205. Von Perkins zuerst veröffentlicht (Rass. d'Arte XVIII [1918], S. 39 ff.) und dem Giotto selbst zugeschrieben. Sirén (Giotto and some of his followers, S. 268) nennt das Bild, ohne die Zuschreibung zu begründen, eine frühe Arbeit des Taddeo Gaddi. Gamba (Dedalo I [1920], S. 162) bleibt gegenüber der Zuweisung an Giotto zweifelhaft. Der Katalog der Sammlung Horne (1921) sagt: Giotto? und erwähnt auch noch die

Zuschreibung an Bernardo Daddi. Rintelen (a. a. O., S. 224) hält das Bild für die Arbeit eines Giottoschülers, den er in dem Künstlerkreise sucht, „aus dem das schöne Fresko des Christusknaben unter den Lehrern in S. Croce hervorgegangen ist". Van Marle (a. a. O., S. 162): Giotto. — Das vortrefflich erhaltene und hübsche Bild steht Giotto selbst einigermaßen fern. Rintelen hebt mit Recht den Reichtum im Ornamentalen hervor, der so ungiottoisch ist. Die an sich nicht unkräftige Zeichnung ist ausdrucksarm und der herben Energie Giottos bar. Eine häufige Betrachtung des Bildes läßt den Eindruck einer zarten Weichheit zurück. — Allein nach der vortrefflichen Abbildung im Katalog der Sammlung Goldman (W. R. Valentiner, The Henry Goldman Collection, New York 1922, Nr. 1) schien mir gewiß, daß die von Berenson B. Daddi genannte schöne Madonna dieser Sammlung von derselben Hand sei, ja daß der Stephanus zu demselben etwa fünfteiligen Altarbild gehört haben müsse, in dem die Madonna Goldman das Mittelstück gebildet hat. Die Maße stimmen überein, der Erhaltungszustand, die Sprungbildung verraten gemeinsame Schicksale, die Ornamentierung des Goldgrundes und der Nimben sind von derselben Art, die ganze Zartheit des Stiles kommt in dem Madonnenbilde womöglich noch deutlicher zum Ausdruck. Es war eine erwünschte Bestätigung dieser Beobachtung, daß Dr. W. R. Valentiner (dem ich auch für die Überlassung der Photographie nach der Goldman-Madonna zu danken habe) mir mitteilte, daß Offner diese Feststellung bereits gemacht und veröffentlicht habe. (The Arts, V [1924], Neuyork, S. 244.) Herr Dr. Valentiner hat mir auch noch kurz vor dem Abschluß der Arbeit die Zeitschrift liebenswürdigerweise zugänglich gemacht. Da Offner beide Originale kennt, wird man sein Urteil um so eher gelten lassen. Dr. Valentiner wies mich auf die Halbfigur eines heiligen Mönches (Antonius?) im Depot des Kaiser-Friedrich-Museums hin. Die Tafel hat sehr gelitten, aber sie scheint demselben Schüler Giottos nahe zu stehen, der den Stephanus der Fondazione Horne malte, ebenso wohl die schöne Halbfigur eines Petrus Martyr in der Sammlung Charles Loeser zu Florenz. Van Marle (a. a. O., S. 190) schreibt dem „Meister der sechs kleinen Szenen" die Madonna Goldman zu, worin ich ihm recht geben möchte. So beginnt die Physiognomie eines Giotto-Schülers sich allmählich zu enthüllen, die näher zu kennzeichnen der Mühe wert wäre.

S. 206. Werkstattarbeit. Das Bild befand sich ursprünglich in S. Antonio zu Bologna, vordem in Santa Maria degli Angeli. 1808 wurde es geteilt, das Mittelbild gelangte nach Mailand in die Brera, die Seitenstücke blieben in der Pinakothek in Bologna, wo 1894 die Flügel wieder mit dem Mittelbild vereinigt wurden. Bezeichnet OP MAGISTRI JOCTI D FLORENTIA in gotischer Majuskel. Die Signatur ist im besten Falle nur Werkstattmarke. Die Flügel sind von geringerer Qualität als das Mittelbild und die fünf Rundbildchen (v. l. n. r.: Joh. d. T., Maria, Christus, Maria Magdalena, Joh. d. Jünger) des Sockels. Venturi (a. a. O., S. 504 ff.) hält diese Teile für Arbeit Giottos und schreibt die Flügel dem Pacino di Bonaguida zu, Sirén (a. a. O. S. 831): Arbeit der Werkstatt, so auch Rintelen (a. a. O., S. 214), van Marle (a. a. O., S. 242) Pacino. Vgl. auch Frati in L'Arte, XIII (1910), S. 466 f.

S. 207—211. Zuerst ausgestellt in der New Gallery 1893/94 (Exhibition of Early Italian Art from 1300 to 1550, Catalogue S. 5). Dieses und die folgenden fünf Bilder, denen noch eine Anbetung der Könige im Metropolitan Museum in New York hinzuzufügen ist (Abb. van Marle, a. a. O., S. 187), hat Sirén mit Recht als zusammengehörend bezeichnet (a. a. O., S. 79; vgl. auch Jacobsen im Rep. f. Kstw., XX [1897], S. 426). Sie bildeten wohl die Predella eines Altares oder die Türfüllungen eines Sakristeischrankes und passen auch in der Größe zusammen, wenn einzelne auch mehr oder weniger beschnitten sind. Der Erhaltungszustand ist sehr verschieden, die Stücke haben zum Teil stark gelitten. Sie alle verraten die zarte Weichheit der Empfindung und auch das Behagen an Schmuck, das in den breiten Gewandsäumen sich auslebt. Die Photographie der schönen Grablegung der Sammlung Berenson in Settignano verdanke ich der Liebenswürdigkeit von Mr. Bernard Berenson. Van Marle (a. a. O., S. 185 ff.) hat die Madonna Goldman richtig demselben Meister zugeschrieben. Es ist wohl nicht gleichgültig, darauf hinzuweisen, daß wie in der Madonna Goldman so auch in der Darstellung im Tempel (Abb. S. 207) und in der oben erwähnten Anbetung der Könige (die übrigens die herkömmliche Geburtsdarstellung originell mit der Anbetung verschmilzt) Maria dieselbe agraffenähnliche Stickerei im Mantel über der Stirn trägt, die ungewöhnlich ist.

S. 212. Kaiser-Friedrich-Museum, Kat. No. 1074 A, wo es ein Bild der Werkstatt genannt und mit einer kleinen Kreuzigung im Museum in Straßburg zusammengestellt wird. (Abb. van Marle, S. 189.) Eine Verwandtschaft besteht, doch ist das Berliner Bild viel feiner in der Arbeit und besser erhalten. Wulff (Rep. f. Kstw. XXVII [1904], S. 244 Note) war geneigt, das Bildchen dem Petrus-Altar in Rom zuzuordnen und es für Giotto selbst zu halten, da er auch in dem Gemälde in St. Peter eine Arbeit des Künstlers sah. Nach Rintelen entstammt das Bild „der unmittelbaren Gefolgschaft Giottos" (a. a. O., S. 247, Note 188). Sirén (a. a. O., S. 123) findet darin die Hand des Meisters, der das Kreuzgewölbe in Santa Chiara zu Assisi ausmalte, van Marle (a. a. O., S. 190) die des „Meisters der sechs kleinen Szenen", beides Ansichten, für die ich stichhaltige Gründe nicht habe erkennen können.

S. 213. In dem Stück wird gewöhnlich, nächst dem Paduaner Kreuz (Abb. S. 188), noch am meisten von Giotto selbst gefunden. Es blieb etwas von der gespannten Kraft des Freskos (Abb. S. 59), aber die Tiefe der Empfindung ist matt geworden, mag es auch gegenüber dem peinlich Versackten der folgenden Kreuze (S. 214/15) fast adelig wirken. Van Marle möchte das Kruzifix dem „Meister der sechs kleinen Szenen" (Abb. 207/11) zuschreiben, wofür ich einen Anhalt nicht habe finden können.

S. 214. In der Sakristei von Ognissanti. Das Kruzifix wird mit dem von Ghiberti in dieser Kirche erwähnten identifiziert und ist darum lange für eine Arbeit Giottos selbst gehalten worden. Es vertritt den von Giotto geschaffenen Typus des Kruzifixus in der Form, die er unter den Händen der Nachfolger angenommen hatte, ähnlich wie das Stück in S. Marco. Beide haben die reiche Gestalt des Rahmens mit dem kleinen Paduaner Kreuz (Abb. S. 188) gemeinsam. Sie schon deutet auf eine verhältnismäßig späte Zeit der Entstehung. Doch sind die Florentiner Stücke durchweg schwer zu beurteilen, weil sie so hoch hängen.

S. 215. Vgl. die vorige Anmerkung.

S. 216—218. Der so zuverlässige Ghiberti sagt, die ersten Reliefs am Campanile seien von Giotto selbst entworfen und gearbeitet. Er habe in seiner Jugend die eigenhändigen Entwürfe Giottos dafür gesehen. Später sagt er genauer, Giotto habe die beiden ersten Reliefs gearbeitet. Wir haben keine Möglichkeit, die Richtigkeit dieser Aussagen nachzuprüfen, denn es gibt keine bildhauerische Arbeit Giottos, die bezeichnet wäre, also als Vergleichsmittel dienen könnte. Diese hier abgebildeten ersten Reliefs vermöchte man dem Künstler gegenüber seinen sicheren malerischen Werken auch nicht zuzuschreiben. Wahrscheinlich hat die Tradition aus der Tatsache, daß Giotto seit dem April 1334 Leiter der Dombauhütte und, wie wir etwa heute sagen würden, erster Stadtbaurat war, seine aktive Beteiligung auch an der plastischen Ausschmückung des Campanile hergeleitet. Es wäre immerhin möglich, daß Skizzen Giottos vorhanden waren, die dann sein Nachfolger in der Leitung der Domopera, Andrea Pisano, ausführen ließ. — Die Urkunde der Ernennung Giottos zum Leiter der Dombauhütte und zum Ersten Baubeamten der Stadt bei Cesare Guasti, S. Maria del Fiore, Florenz 1887, S. XLV u. 45. Das Datum der Grundsteinlegung des Campanile berichtet nur Villani, die Stelle ebenda S. 44.

Aufbewahrungsorte der Werke Giottos

Bilder der Werkstatt,
zweifelhafte und Giotto mit Unrecht zugeschriebene Arbeiten.

Fresken

248